A-Z STEV

C000182444

CONTENT

REFERENCE

Motorway	**A1(M)**	Car Park Selected	P
A Road	A602	Church or Chapel	†
		Cycle Route	
Proposed		Fire Station	▪
B Road	B656	Hospital	H
Dual Carriageway		House Numbers A & B Roads only	94 11
One-way Street Traffic flow on A Roads is indicated by a heavy line on the driver's left.	→	Information Centre	ℹ
		National Grid Reference	⁵25
Restricted Access		Police Station	▲
Pedestrianized Road		Post Office	★
Residential Walkway		Toilet	▽
Track		With facilities for the Disabled	♿
Footpath		Educational Establishment	
Local Authority Boundary		Hospital or Hospice	
Postcode Boundary		Industrial Building	
Railway	Station	Leisure or Recreational Facility	
		Place of Interest	
Built-up Area	WEST LA	Public Building	
		Shopping Centre or Market	
Map Continuation	10	Other Selected Buildings	

Scale

1:15,840

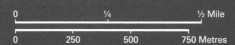

0 ¼ ½ Mile

0 250 500 750 Metres

4 inches (10.16 cm) to 1 mile

6.31cm to 1km

Copyright of Geographers' A-Z Map Company Ltd.

Head Office:
Fairfield Road, Borough Green, Sevenoaks, Kent, TN15 8PP
Telephone 01732 781000 (General Enquiries & Trade Sales)

Showrooms:
44 Gray's Inn Road, London, WC1X 8HX
Telephone 020 7440 9500 (Retail Sales)

www.a-zmaps.co.uk

 Ordnance Survey® This product includes mapping data licensed from Ordnance Survey® with the permission of the Controller of Her Majesty's Stationery Office.

© Crown Copyright 2002. Licence Number 100017302

Edition 2 2002

Copyright © Geographers' A-Z Map Co. Ltd. 2002

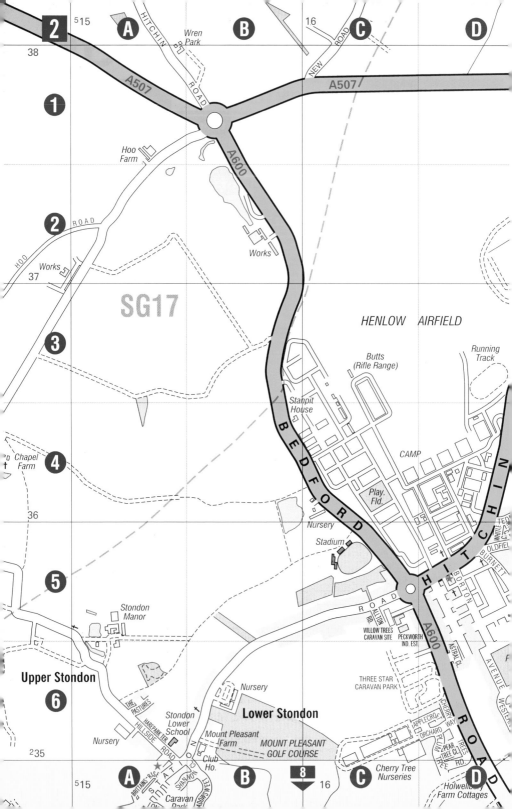

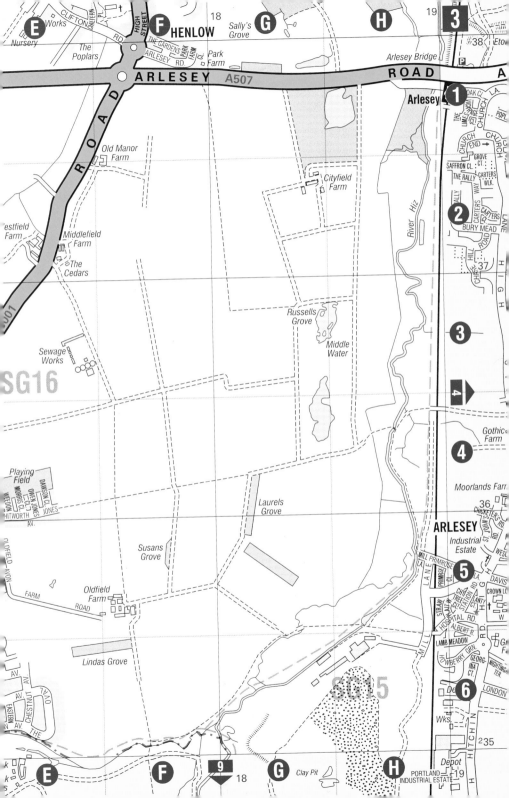

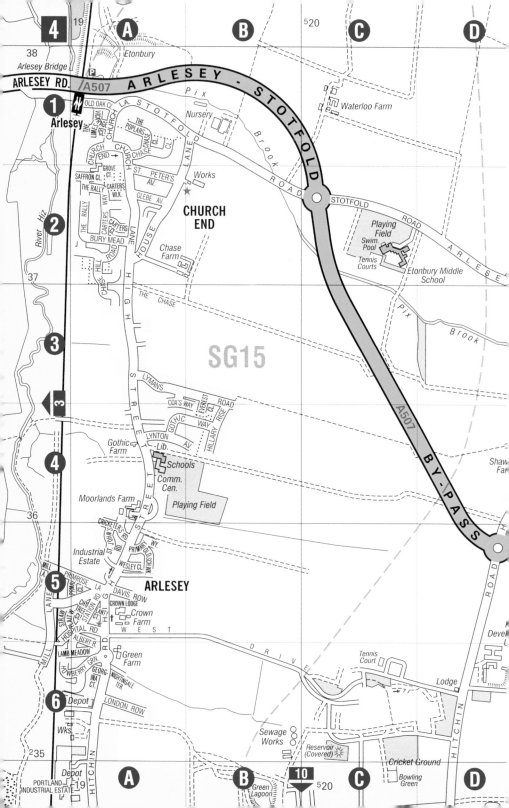

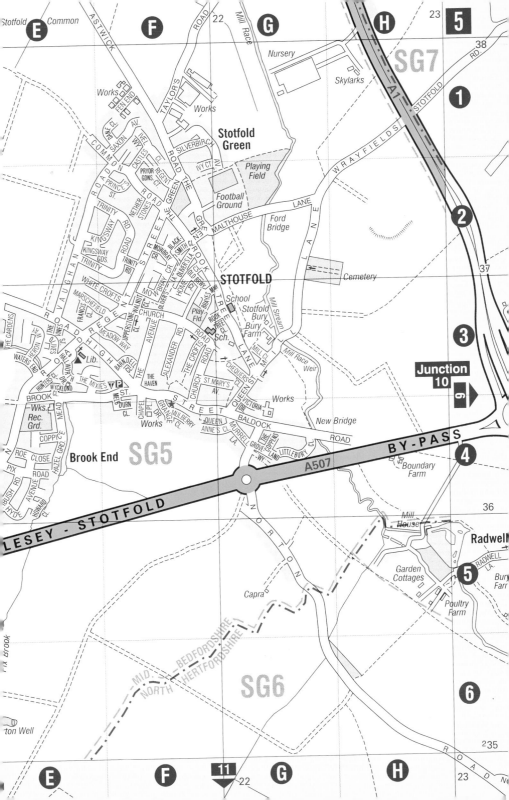

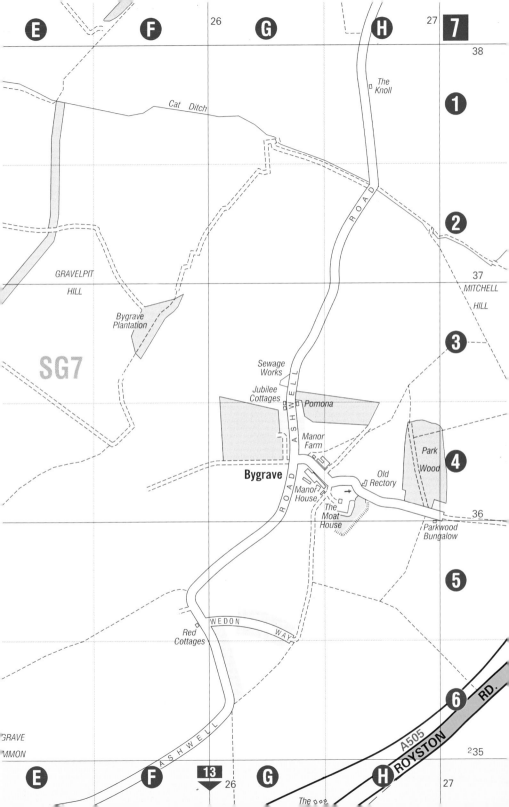

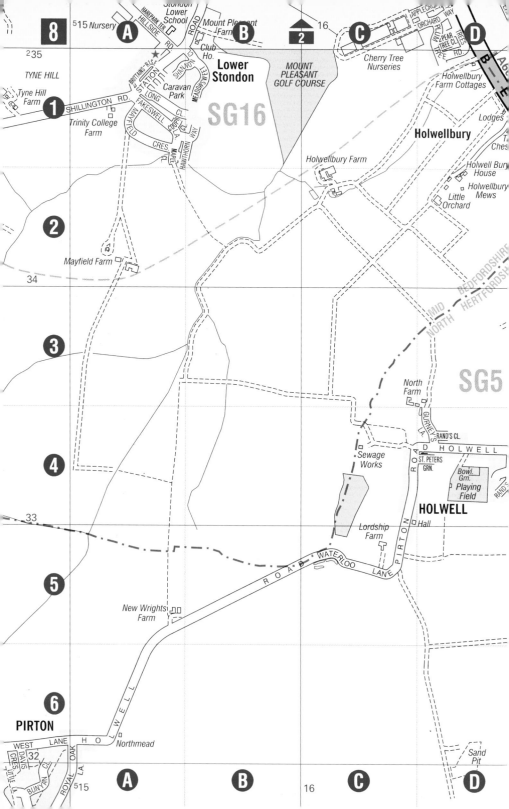

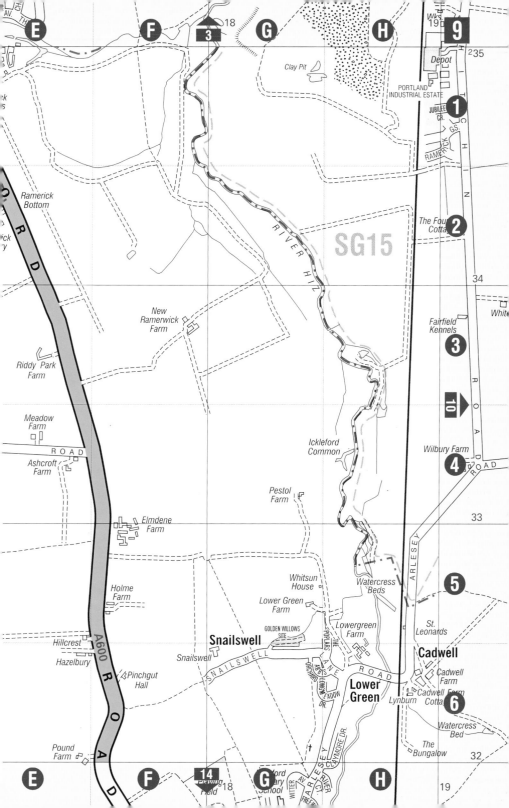

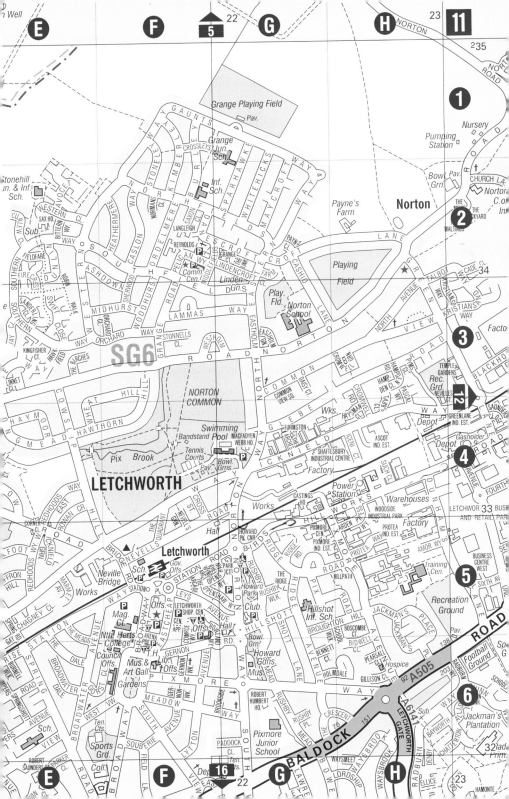

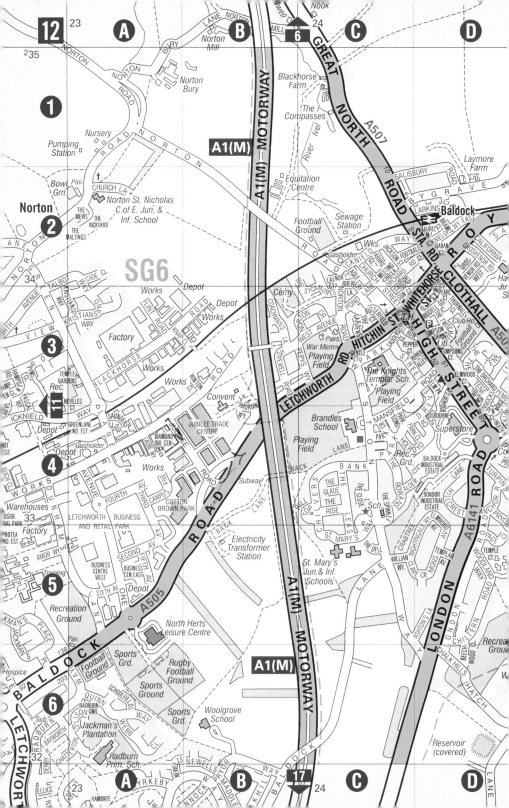

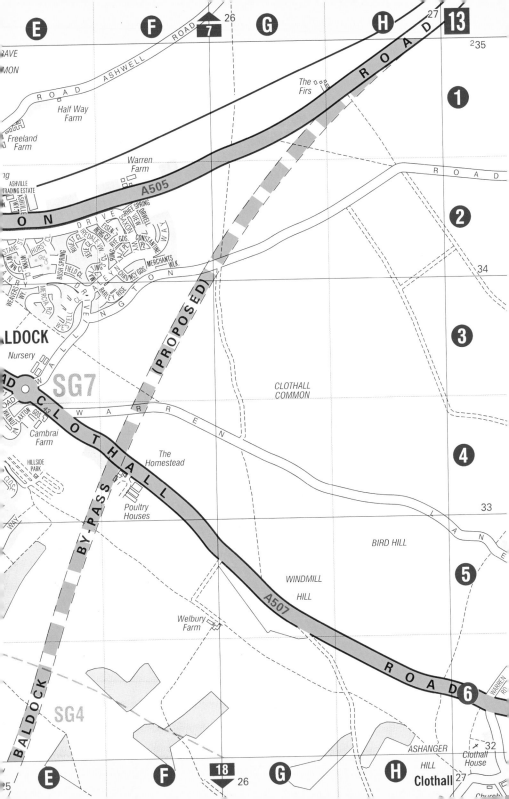

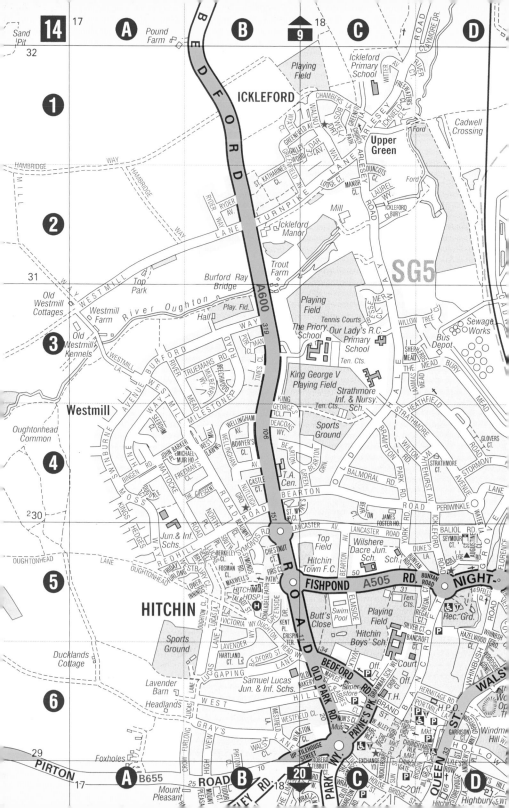

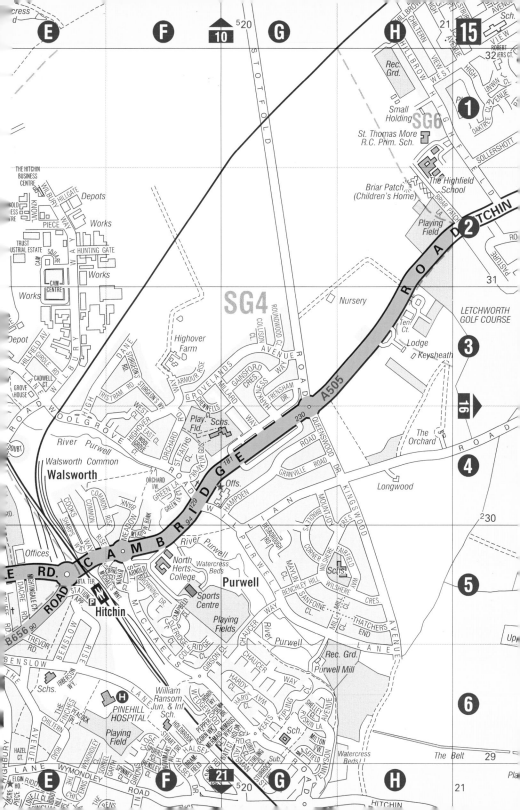

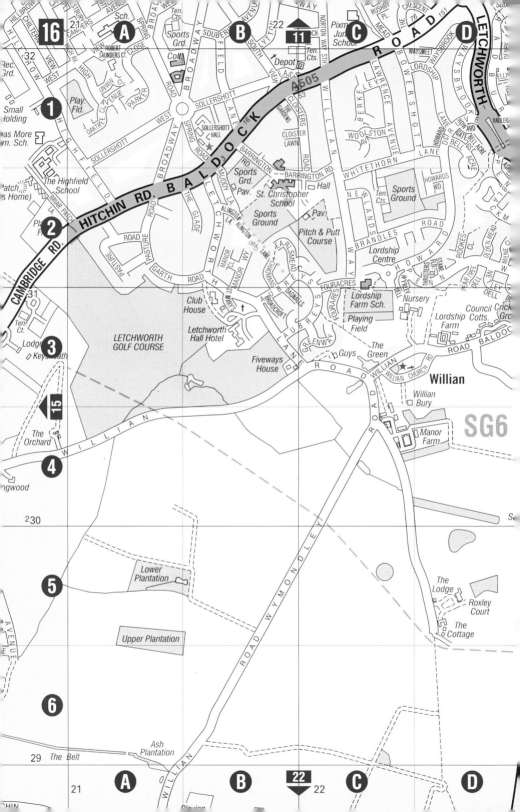

18 525

32

H A T C H

BY-PASS (PROPOSED)

1

BALDOCK

A

B

▲ 26
13

C

D

ASHANGER HILL **Clot**

2

31

Bush Wood

Green Grove

Hickman's Hill

ASH

3

Weston Windmill (disused)

HITCHIN

17

Lanno Manor
Farm

nnock ttages

Green End

Darnall's Hall Farm

Old Farm

Water Tower

SG4

L A N E

S T R E E T

MILL LANE

Horseshoe Farm

Oakley's Farm

Weston Bury

4

WESTON

THE SNIPE

THE SNIPE ROAD

ROAD

FRIARS

R O A D

F O R E   S T R E E T

BUTTS GN.

MUNTS MEADOW

Works

Weston Jun. & Inf. Sch.

SCHOOL LA.

Vicarage

Cowmead

Churc End

★
POST OFFICE

Hall

MAIDEN

Manor House

Recreation Ground

CHURCH LANE

Glebe Cottage

²30

Town Farm

MARLBOROUGH CL.

ROWAN CL.

WOODLANDS MEAD

DAMASK CL.

DAMASK GREEN ROAD

Pond

5

Cricket Ground

Pav.

Park Lodge

Damask Green

Top Plantation

6

Weston Park

Park Wood

Bottom Plantation

29

525

A

B

▼ 26
24

C

Bonfield's Lower

Warrensgreen Farm

D

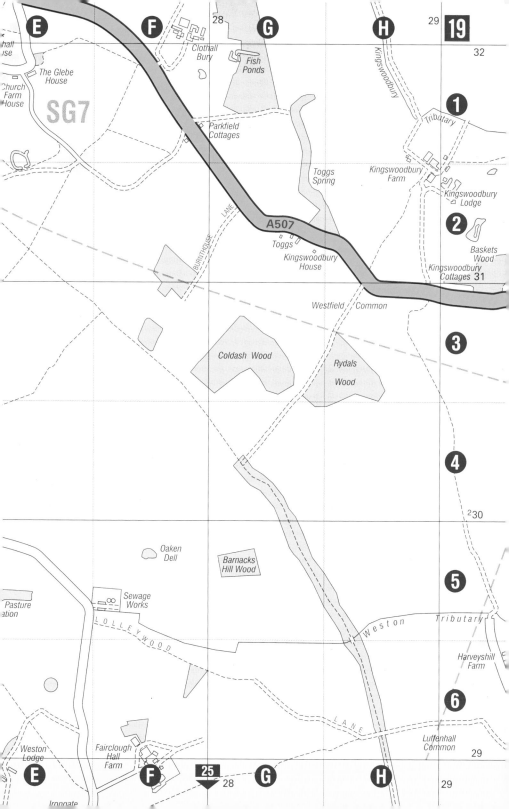

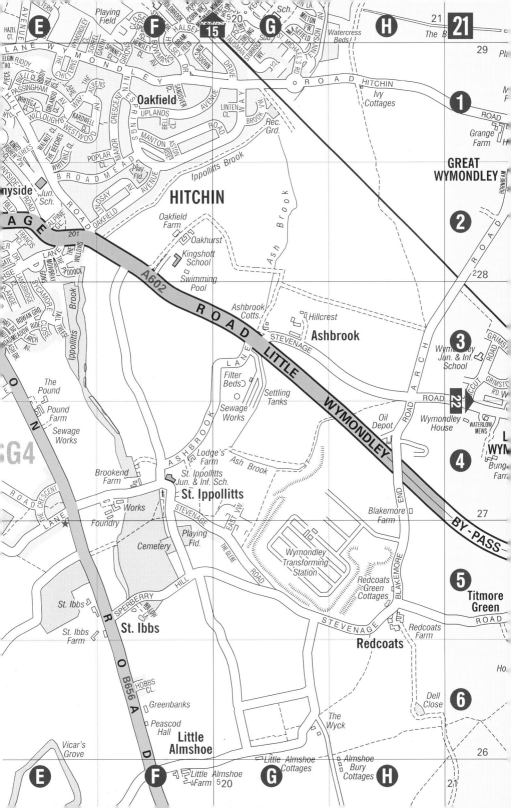

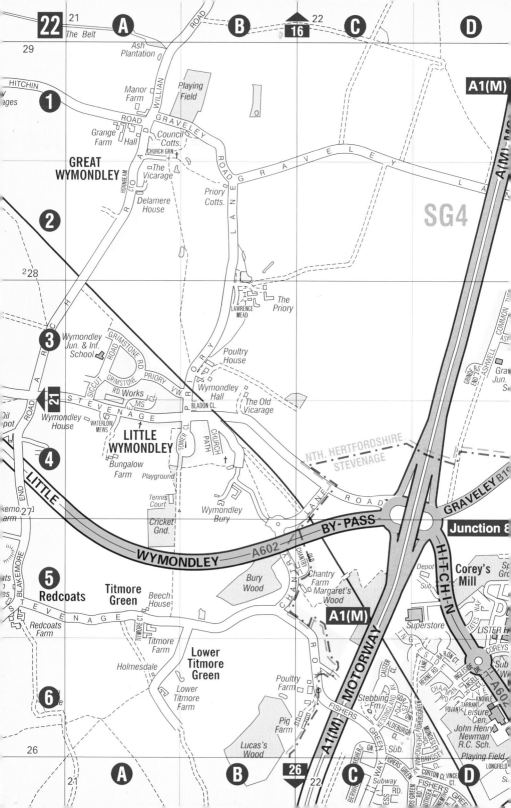

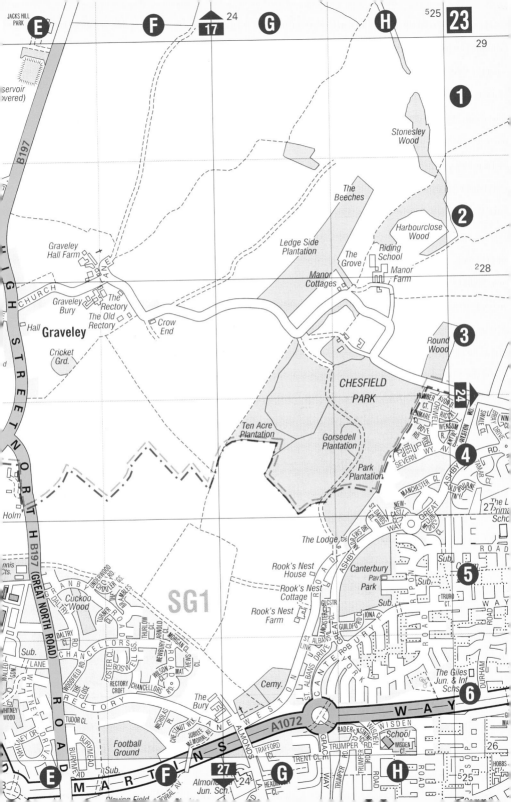

JACKS HILL PARK

17

29

1

servoir
overed)

Stonesley
Wood

The
Beeches

2

Harbourclose
Wood

Graveley
Hall Farm

Ledge Side
Plantation

The
Grove

Riding
School

Manor
Farm

²28

Manor
Cottages

Graveley
Bury

The
Rectory

The Old
Rectory

Crow
End

Hall

CHURCH   LANE

Round
Wood

3

Graveley

Cricket
Grd.

CHESFIELD
PARK

24

HUMBER CT. AVON RICOT.

KENMARE

ORWELL

ORRELL RD.

SWALE CL.

BRAY DRIVE

WIN CL.

Holm

Ten Acre
Plantation

Gorsedell
Plantation

DOVE

WENSUM

TEES

SEVERN

WY.

WESTON

AV.

4

ANNAR

OLD
BOURNE
HWY.

RD.

CL.

Park
Plantation

MANCHESTER CL.

ASHBY

27

The L
Prima
Sch

The Lodge

ST DAVIDS
ANDREWS DR.

NEW-
CAST-
LE
WAY

GREAT
NTH RD

ROAD

Sub.

Rook's Nest
House

Canterbury
Park

Pav

Sub.

5

SG1

Cuckoo
Wood

GRANBY RD.

DALTRY

UNDERWOOD RD.

FOWLER GS.

BRAMBLES

TURNER CT.

THURLOW RD.

ARNOLD

MORGAN CL.

SHEWELL CL.

NEWBURY PL.

Rook's Nest
Cottage

Rook's Nest
Farm

ASHBY ROAD

GLCSTR.

IONA CL.

GUILDFD CL.

TRURO
CT.

Sub.

ROAD

ROAD

W A Y

CHANCELLORS
LANE

DALTRY
CL.

RD.

WOODFIELD RD.

FOSTER CL.

BOSWELL CT.

RECTORY
CROFT

CHANCELLORS

ST. ALBANS
LINK

LANCASTER CL.

ST. ALBANS DRIVE

CANTERBURY

WESTON

GREAT

NTH RD

The Giles
Jun. & Inf.
Schs

DURHAM

Sub.

WALLE
DGON

WHITNEY
WOOD

RECTORY   ROAD

WILSON RD.

NICHOLAS PL.

CHESTNUT WK.

The
Bury

LANE

JUBILEE
MEMORIAL AV.

ALMONDS

TRAFFORD

6

Cemy.

WISDEN ROAD

GREAT

W A Y

NEY DR.

DRIVE

WHITNEY

BURYMEAD

BURWAY

TUDOR CL.

Sub.

Football
Ground

NICHOLAS PL.

The Bury

CHESTNUT WK.

Almond
Jun. Sch.

27

24

HEADING
CL.

GRACE

WAY

BADER CL.

TRUMPER RD.

CASHIO
LA.

WISDEN

School

WISDEN
CT.

TRUMPER

TRENT CLSE

ROAD

26

GP.
MA

HOBBS CL.

²525

Playing Field

NORTH B197 (GREAT NORTH ROAD)

HIGH STREET NORTH B197

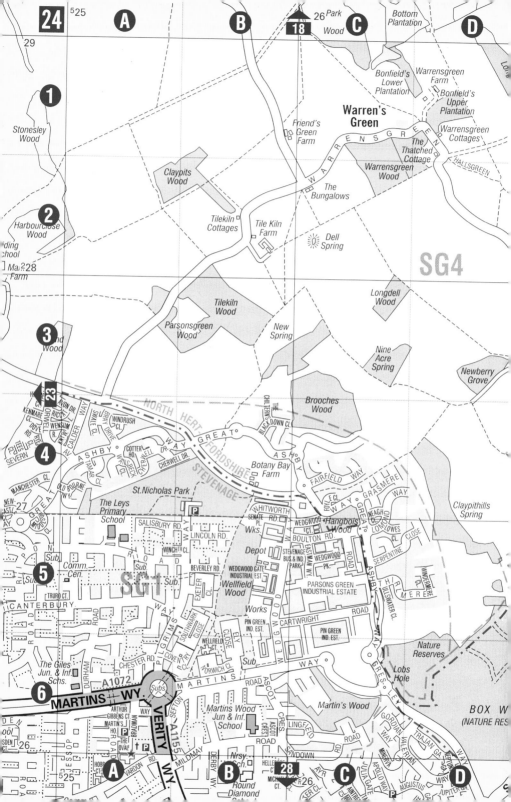

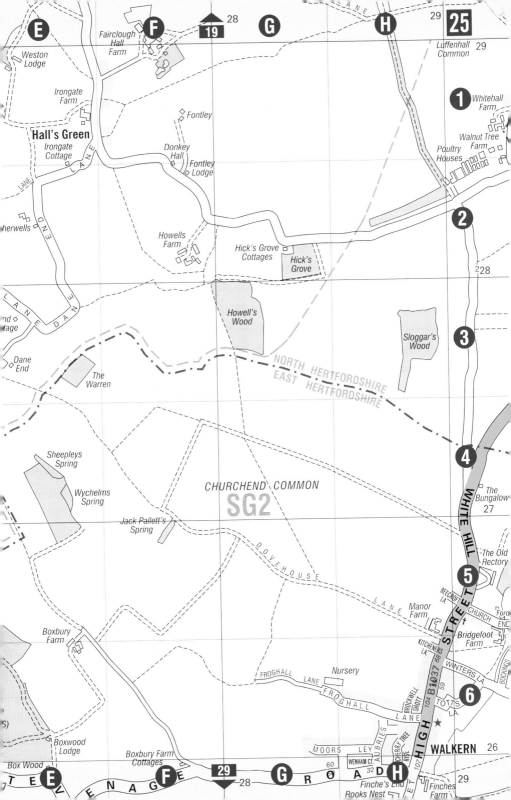

E
Weston Lodge
Fairclough Hall Farm
F
▲19 28
G
H
29 **25**
Luffenhall Common 29

Irongate Farm
Fontley
Whitehall Farm ❶
Walnut Tree Farm
Poultry Houses

Hall's Green
Irongate Cottage
Donkey Hall
Fontley Lodge
LANE
LANE

herwells
LANE END
DAN
Howells Farm
Hick's Grove Cottages
Hick's Grove
❷
228

Dane End
LANE
...ge
Howell's Wood
Sloggar's Wood
❸
NORTH HERTFORDSHIRE
EAST HERTFORDSHIRE

The Warren
Sheepleys Spring
❹
The Bungalow 27

Wychelms Spring
CHURCHEND COMMON
SG2
WHITE HILL
The Old Rectory

Jack Pallett's Spring
❺
BEECROFT LA.
CHURCH
DOVEHOUSE
LANE
Manor Farm
Bridgefoot Farm
For... END

Boxbury Farm
STREET
KITCHENERS LA.
WINTERS LA.
BOCKING...

Froghall LANE
Nursery
FROGHALL LANE
BROCKWELL SHOTT
104 B1037 69
59
TOTT'S LA.
❻

Boxwood Lodge
Boxbury Farm Cottages
MOORS LEY
AUBRIES
CHERRY TREE RISE
WALKERN 26

E
TE...E...E...NAGE
F
▲29 28
G
ROAD
WENHAM CT. 32
60
D
H
HIGH
...ET 107
Finche's End
Rooks Nest
Finches Farm 29
Box Wood
Boxwood

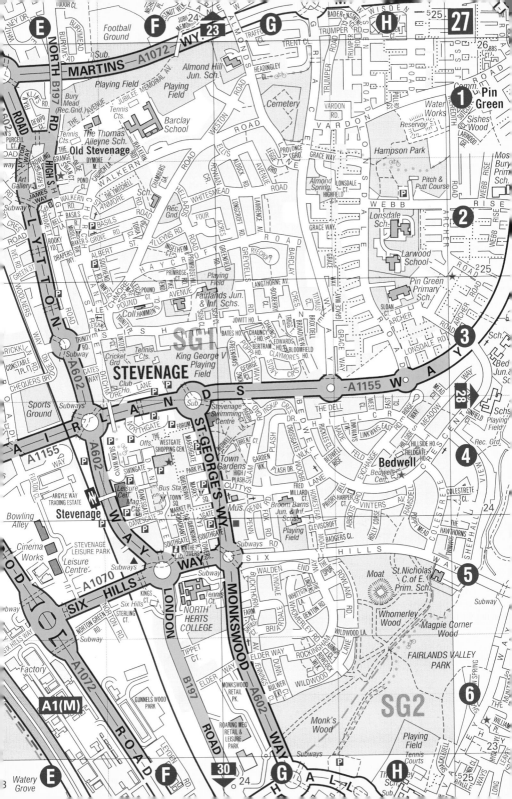

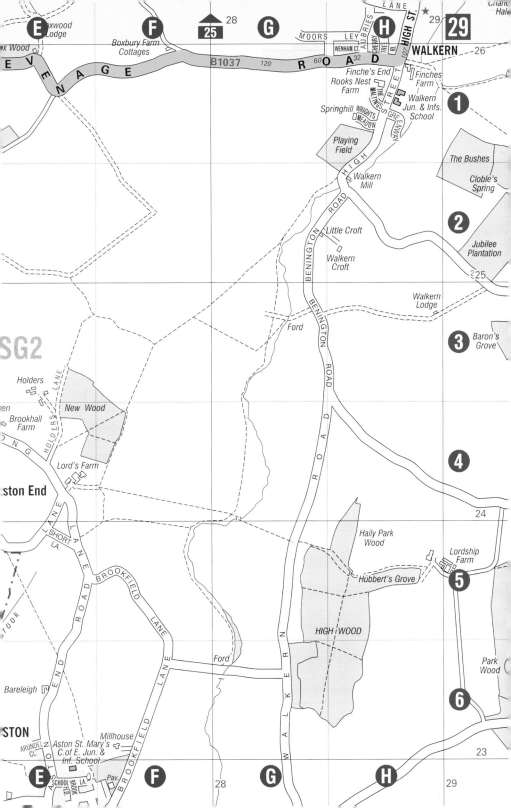

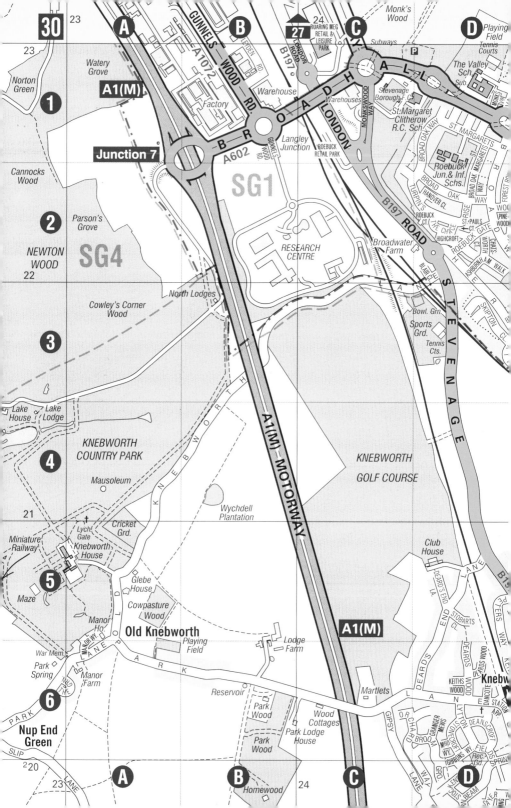

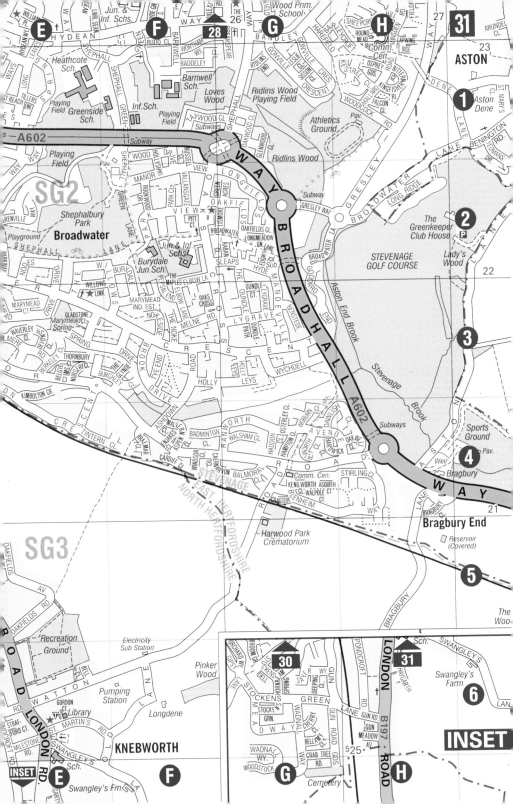

INDEX

Including Streets, Places & Areas, Hospitals & Hospices, Industrial Estates,
Selected Flats & Walkways and Selected Places of Interest.

HOW TO USE THIS INDEX

1. Each street name is followed by its Posttown or Postal Locality and then by its map reference; e.g. Abbotts Rd. *Let* —5D **10** is in the Letchworth Posttown and is to be found in square 5D on page **10**. The page number being shown in bold type. A strict alphabetical order is followed in which Av., Rd., St., etc. (though abbreviated) are read in full and as part of the street name; e.g. Ash Dri. appears after Ashdown Rd. but before Ashleigh.

2. Streets and a selection of Subsidiary names not shown on the Maps, appear in the index in *Italics* with the thoroughfare to which it is connected shown in brackets; e.g. *Appletrees. Hit* —1C **20** (off Wratten Rd. W.)

3. Places and areas are shown in the index in **bold type**, the map reference to the actual map square in which the town or area is located and not to the place name; e.g. **Baldock. —3D 12**

4. An example of a selected place of interest is Athletics Ground. —1G 31

5. An example of a hospital or hospice is GARDEN HOUSE HOSPICE. —6H 11

GENERAL ABBREVIATIONS

All : Alley
App : Approach
Arc : Arcade
Av : Avenue
Bk : Back
Boulevd : Boulevard
Bri : Bridge
B'way : Broadway
Bldgs : Buildings
Bus : Business
Cvn : Caravan
Cen : Centre
Chu : Church
Chyd : Churchyard
Circ : Circle
Cir : Circus
Clo : Close
Comn : Common
Cotts : Cottages

Ct : Court
Cres : Crescent
Cft : Croft
Dri : Drive
E : East
Embkmt : Embankment
Est : Estate
Fld : Field
Gdns : Gardens
Gth : Garth
Ga : Gate
Gt : Great
Grn : Green
Gro : Grove
Ho : House
Ind : Industrial
Info : Information
Junct : Junction
La : Lane

Lit : Little
Lwr : Lower
Mc : Mac
Mnr : Manor
Mans : Mansions
Mkt : Market
Mdw : Meadow
M : Mews
Mt : Mount
Mus : Museum
N : North
Pal : Palace
Pde : Parade
Pk : Park
Pas : Passage
Pl : Place
Quad : Quadrant
Res : Residential
Ri : Rise

Rd : Road
Shop : Shopping
S : South
Sq : Square
Sta : Station
St : Street
Ter : Terrace
Trad : Trading
Up : Upper
Va : Vale
Vw : View
Vs : Villas
Vis : Visitors
Wlk : Walk
W : West
Yd : Yard

POSTTOWN AND POSTAL LOCALITY ABBREVIATIONS

Arl : Arlesey
Ast : Aston
Ast E : Aston End
Bald : Baldock
B'tn : Benington
Byg : Bygrave
Clot : Clothall
Clot C : Clothall Common
Cro : Cromer
D'wth : Datchworth

Gos : Gosmore
G'ley : Graveley
Gt Wym : Great Wymondley
Henl : Henlow
Hinx : Hinxworth
Hit : Hitchin
Hol : Holwell
Ickl : Ickleford
Kneb : Knebworth
Let : Letchworth

L Wym : Little Wymondley
L Ston : Lower Stondon
Newn : Newnham
Odsey : Odsey
Old K : Old Knebworth
Pir : Pirton
Pres : Preston
Radw : Radwell
St I : St Ippolyts
Shef : Shefford

Shil : Shillington
Stev : Stevenage
Stot : Stotfold
Up Ston : Upper Stondon
Walk : Walkern
W'ton : Weston
W'ian : Willian

INDEX

Abbis Orchard. *Ickl* —6G **9**
Abbots Gro. *Stev* —5H **27**
Abbotts Rd. *Let* —5D **10**
Abinger Clo. *Stev* —6G **27**
Acre Piece. *Let* —1E **21**
Aintree Way. *Stev* —1C **28**
Alban Rd. *Let* —2E **17**
Albert Rd. *Arl* —5A **4**
Albert St. *Stev* —2E **27**
Aldeburgh Clo. *Stev* —6C **22**
Alder Clo. *Bald* —4C **12**
Aldock Rd. *Stev* —2G **27**
Aldridge Ct. *Bald* —2C **12**
Alexander Ga. *Stev* —1C **28**
Alexander Rd. *Stot* —3F **5**
Alexandra Rd. *Hit* —4D **14**

Aleyn Way. *Bald* —2F **13**
Alington La. *Let* —2B **16**
(in two parts)
Alleyns Rd. *Stev* —2F **27**
Allison. *Let* —6A **12**
Almonds La. *Stev* —6G **23**
Alpine Clo. *Hit* —2E **21**
Alton Rd. *Henl* —5C **2**
Amor Way. *Let* —5H **11**
Anchor Rd. *Bald* —4D **12**
Anderson Rd. *Stev* —3D **28**
Andersons Ho. *Hit* —5D **14**
Angle Ways. *Stev* —1E **31**
Angotts Mead. *Stev* —3D **26**
Ansell Ct. *Stev* —6D **22**
Apollo Way. *Stev* —1C **28**

Applecroft. *L Ston* —6D **2**
Appletrees. Hit —1C **20**
(off Wratten Rd. W.)
Arcade, The. *Hit* —6C **14**
Arcade, The. *Let* —5F **11**
Arcade Wlk. *Hit* —6C **14**
Archer Rd. *Stev* —3H **27**
Archers Way. *Let* —5D **10**
Arches, The. *Let* —4G **11**
Arch Rd. *Gt Wym* —3H **21**
Arden Press Way. *Let* —5H **11**
Arena Pde. *Let* —5F **11**
Argyle Way. *Stev* —4E **27**
Argyle Way Trad. Est. *Stev*
—4E **27**
Arlesey. —5A 4

Arlesey Rd. *Arl & Stot* —2D **4**
(Hitchin Rd.)
Arlesey Rd. *Arl & Let* —5H **9**
(Stotfold Rd.)
Arlesey Rd. *Henl* —1F **3**
(in two parts)
Arlesey Rd. *Ickl* —2C **14**
Arlesey-Stotfold By-Pass. *Arl & Stot* —1A **4**
Armour Ri. *Hit* —3F **15**
Arnold Clo. *Hit* —5F **15**
Arnold Ct. *Stev* —5F **23**
Arthur Gibbens Ct. *Stev* —6A **24**
Arundel Clo. *Ast* —6E **29**
Arwood M. *Bald* —3D **12**
Ascot Cres. *Stev* —6B **24**

Ascot Ind. Est. *Let* —4H **11**
Ashanger La. *Clot* —1D **18**
Ashbourne Clo. *Let* —2D **16**
Ashbrook. —3G 21
Ashbrook La. *St I* —4F **21**
Ashburnham Wlk. *Stev* —2D **30**
Ashdown. *Let* —2E **11**
Ashdown Rd. *Stev* —4F **31**
Ash Dri. *St I* —3E **21**
Ashleigh. *Stev* —5B **28**
Ashton's La. *Bald* —5D **12**
Ashville Trad. Est. *Bald* —2E **13**
Ashville Way. *Bald* —2E **13**
Ashwell. Stev —5E **23**
  (off Coreys Mill La.)
Ashwell Clo. *G'ley* —3D **22**
Ashwell Comn. *G'ley* —3D **22**
Ashwell Rd. *Bald & Byg* —1F **13**
Ashwell Rd. *Newn* —1D **6**
Aspect One. *Stev* —5D **26**
Aspen Clo. *Stev* —4F **31**
Aspens, The. *Hit* —1E **21**
Asquith Ct. *Stev* —4G **31**
Aston. —6E 29
Aston Clo. Stev —5E **23**
  (off Coreys Mill La.)
Aston End. —4E 29
Aston End Rd. *Ast* —6E **29**
Astonia Ho. Bald —4D **12**
  (off High St.)
Aston La. *Ast* —4H **31**
Aston La. *Stev* —4H **31**
Aston Ri. *Hit* —1F **21**
Astral Clo. *Henl* —6D **2**
Astwick Rd. *Stot* —1F **5**
Athletics Ground. —1G **31**
Aubreys. *Let* —3B **16**
Aubries. *Walk* —6H **25**
Augustine Clo., The. *Hit* —5D **14**
Augustus Ga. *Stev* —1D **28**
Austen Paths. *Stev* —3C **28**
Aveley La. *Hit* —1C **22**
Avenue One. *Let* —4A **12**
Avenue, The. *Hit* —6E **15**
Avenue, The. *Stev* —1E **27**
Avenue, The. *Stot* —3F **5**
Avocet. *Let* —2E **11**
Avon Chase. *Henl* —5E **3**
Avon Dri. *Stev* —4H **23**
Avon Rd. *Henl* —5E **3**
Aylward Dri. *Stev* —5B **28**
Ayr Clo. *Stev* —1C **28**

Babbage Rd. *Stev* —4C **26**
Back La. *Let* —5B **12**
Baddeley Clo. *Stev* —1F **31**
Bader Clo. *Stev* —6H **23**
Badger Clo. *Kneb* —5D **30**
Badgers Clo. *Stev* —5G **27**
Badminton Clo. *Stev* —4F **31**
Baker St. *Stev* —2E **27**
Baldock. —3D 12
Baldock Ind. Est. *Bald* —4D **12**
Baldock La. *W'ian* —3D **16**
Baldock Rd. *Let* —2B **16**
Baldock Rd. *Stot* —4G **5**
Baliol Rd. *Hit* —5D **14**
Balmoral Clo. *Stev* —4G **31**
Balmoral Rd. *Hit* —4C **14**
Bancroft. *Hit* —6D **14**
Bancroft Ct. *Hit* —5C **14**
Bandley Ri. *Stev* —6C **28**
Barclay Cres. *Stev* —2G **27**
Barham Rd. *Stev* —4C **28**
Barleycroft. *Stev* —6C **28**
Barley Ri. *Bald* —3F **13**
Barndell Clo. *Stot* —3F **5**

Barnwell. *Stev* —6B **28**
Baron Ct. *Stev* —6D **22**
Barrington Rd. *Let* —1B **16**
  (in two parts)
Basils Rd. *Stev* —2E **27**
Bates Ho. *Stev* —3G **27**
Bawdsey Clo. *Stev* —1D **26**
Bayworth. *Let* —6H **11**
Beale Clo. *Stev* —3C **28**
Beane Av. *Stev* —3D **28**
Beane Wlk. *Stev* —3D **28**
Bearton Av. *Hit* —5C **14**
Bearton Ct. *Hit* —4C **14**
Bearton Grn. *Hit* —4B **14**
Bearton Rd. *Hit* —4B **14**
Beaumont Clo. *Hit* —5B **14**
Bedford Ho. *Stev* —3D **26**
Bedford Rd. *Let* —4D **10**
Bedford Rd. *L Ston* —4B **2**
Bedford St. *Hit* —6B **14**
Bedwell. —4H 27
Bedwell Cres. *Stev* —4G **27**
Bedwell La. *Stev* —4G **27**
Bedwell Ri. *Stev* —4G **27**
Beech Dri. *Stev* —6B **28**
Beeches, The. *Hit* —1E **21**
Beech Hill. *Let* —4D **10**
Beech Ridge. *Bald* —5D **12**
Beechwood Clo. *Bald* —6D **12**
Beechwood Clo. *Hit* —3B **14**
Beecroft La. *Walk* —5H **25**
Belgrave M. *Stev* —3E **31**
Bell Acre. *Let* —1D **16**
Bell Acre Gdns. *Let* —1D **16**
Bellamy Clo. *Kneb* —6G **31**
Bell Clo. *Hit* —1F **21**
Bell Clo. *Kneb* —6E **31**
Bell La. *Stev* —2E **27**
Bell Row. *Bald* —3C **12**
Benchley Hill. *Hit* —5G **15**
Benington Rd. *Ast* —1H **31**
Benington Rd. *Walk* —2G **29**
Bennett Ct. *Let* —6G **11**
Benslow La. *Hit* —6E **15**
Benslow Ri. *Hit* —6E **15**
Benstede. *Stev* —3G **31**
Berkeley. *Let* —1C **16**
Berkeley Clo. *Hit* —5B **14**
Berkeley Clo. *Stev* —3E **31**
Bernhardt Cres. *Stev* —3C **28**
Bertram Ho. *Stev* —3G **27**
Berwick Clo. *Stev* —1C **26**
Bessemer Clo. *Hit* —3C **14**
Bessemer Dri. *Stev* —5D **26**
Beverley Rd. *Stev* —5B **24**
Bidwell Clo. *Let* —6H **11**
Biggin La. *Hit* —1D **20**
Bilton Rd. *Hit* —3D **14**
Bingen Rd. *Hit* —4A **14**
Birches, The. *Let* —3E **11**
Birds Hill. *Let* —5G **11**
Bittern Clo. *Stev* —1H **31**
Bittern Way. *Let* —2E **11**
Blackberry Mead. *Stev* —6D **28**
Blackdown Clo. *Stev* —4B **24**
Blackhorse Clo. *Hit* —2E **21**
Blackhorse La. *Hit* —2D **20**
Blackhorse Rd. *Let* —3A **12**
Blackmore. *Let* —2D **16**
Blacksmith Clo. *Stot* —2F **5**
Bladon Clo. *L Wym* —4B **22**
Blair Clo. *Stev* —2D **30**
Blakemore End Rd. *Hit* —5H **21**
Blakeney Ho. *Stev* —2C **26**
Blakeney Rd. *Stev* —2C **26**
Blenheim Way. *Stev* —4G **31**
Bloomfield Ho. *Stev* —3G **27**
Blyth Clo. *Stev* —2C **26**

Bockings. *Stev* —6H **25**
Bodnor Ga. *Bald* —3D **12**
Bondor Ind. Est. *Bald* —4D **12**
Borton Av. *Henl* —5D **2**
Boscombe Ct. *Let* —5H **11**
Boswell Dri. *Ickl* —1C **14**
Boswell Gdns. *Stev* —6F **23**
Boulton Rd. *Stev* —5C **24**
Bournemouth Rd. *Stev* —1D **26**
Bowcock Wlk. *Stev* —6G **27**
Bowershott. *Let* —1C **16**
Bowling Grn. *Stev* —1E **27**
Bowmans Av. *Hit* —6F **15**
Bowman Trad. Est. *Stev* —4D **26**
Bowyer's Clo. *Hit* —4B **14**
Boxberry Clo. *Stev* —3G **27**
Boxfield Grn. *Stev* —1D **28**
Box Wood (Nature Reserves).
  —6D **24**
Bradleys Corner. *Hit* —4G **15**
Bradman Way. *Stev* —6A **24**
Bradshaw Ct. *Stev* —6B **28**
Braemar Clo. *Stev* —4F **31**
Bragbury Clo. *Stev* —4H **31**
Bragbury End. —4H 31
Bragbury La. *D'wth & Stev*
  —5H **31**
Braham Ct. Hit —6C **14**
  (off Nun's Clo.)
Brambles, The. *Stev* —5F **23**
Bramfield. *Hit* —1F **21**
Bramley Clo. *Bald* —2D **12**
Brampton Pk. Rd. *Hit* —4C **14**
Bramshott Clo. *Hit* —3D **20**
Brandles Rd. *Let* —2C **16**
Brand St. *Hit* —6C **14**
Bray Dri. *Stev* —4A **24**
Brayes Mnr. *Stot* —3F **5**
Breakspear. *Stev* —6C **28**
Brent Ct. *Stev* —4G **27**
Brewery La. *Bald* —2C **12**
Briardale. *Stev* —5G **27**
Briar Patch La. *Let* —2H **15**
Brick Kiln La. *Hit* —2B **20**
Brickkiln Rd. *Stev* —3E **27**
Bridge Rd. *Let* —5F **11**
Bridge Rd. W. *Stev* —3D **26**
Bridge St. *Hit* —1C **20**
Brighton Way. *Stev* —1C **26**
Brittains Ri. *L Ston* —1A **8**
Brittain Way. *Stev* —5B **28**
Brixham Clo. *Stev* —2D **26**
Broadcroft. *Let* —3B **16**
Broadhall Way. *Stev* —1B **30**
Broadmead. *Hit* —2E **21**
Broadmeadow Ride. *St I* —3E **21**
Broad Oak Way. *Stev* —1D **30**
Broadview. *Stev* —3G **27**
Broadwater. —2D 30
Broadwater. *Stev* —2F **31**
Broadwater Av. *Let* —6E **11**
Broadwater Cres. *Stev* —1D **30**
Broadwater Dale. *Let* —6E **11**
Broadwater La. *Ast* —2G **31**
Broadway. *Let* —1A **16**
Brockwell Shott. *Walk* —6H **25**
Bronte Paths. *Stev* —3C **28**
Brook Dri. *Stev* —3F **31**
Brook End. —4E 5
Brook Fld. *Ast* —6E **29**
Brookfield La. *Ast* —5F **29**
Brookhill. *Stev* —3D **30**
Brookside. *Let* —6F **11**
Brook St. *Stot* —3E **5**
Brook Vw. *Hit* —1G **21**
Broom Gro. *Kneb* —6D **30**
Broom Wlk. *Stev* —4G **27**
Broughton Hill. *Let* —5G **11**

Browning Dri. *Hit* —5F **15**
Brox Dell. *Stev* —3G **27**
Brunel Rd. *Stev* —2A **28**
Bucklersbury. *Hit* —1C **20**
Buckthorn Av. *Stev* —5G **27**
Bude Cres. *Stev* —2C **26**
Bulwer Link. *Stev* —6G **27**
Bunyan Clo. *Pir* —6A **8**
Bunyan Rd. *Hit* —5C **14**
Burford Way. *Hit* —3A **14**
Burghley Clo. *Stev* —3E **31**
Burley. *Let* —2F **11**
Burnell Ri. *Let* —6D **10**
Burnell Wlk. *Let* —6E **11**
Burnett Av. *Henl* —5D **2**
Burns Clo. *Hit* —5F **15**
Burns Clo. *Stev* —1C **28**
Burnthouse La. *Bald* —2F **19**
Bursland. *Let* —5D **10**
Burwell Rd. *Stev* —5B **28**
Burydale. *Stev* —2F **31**
Bury Mead. *Arl* —2A **4**
Burymead. *Stev* —6E **23**
Bury Mead Rd. *Hit* —3D **14**
Bush Spring. *Bald* —2E **13**
Business Cen. E. *Let* —5A **12**
Business Cen. W. *Let* —5A **12**
Butchers La. *Hit* —2D **20**
Butterfield Ct. *Bald* —3C **12**
Butts Grn. *W'ton* —4C **18**
Bygrave. —4G 7
Bygrave. Stev —5E **23**
  (off Coreys Mill La.)
Bygrave Rd. *Bald* —2D **12**
Byrd Wlk. *Bald* —4D **12**
Byron Clo. *Hit* —5F **15**
Byron Clo. *Stev* —2C **28**

Cabot Clo. *Stev* —2A **28**
Cade Clo. *Let* —2A **12**
Cadwell. —6A 10
Cadwell Ct. *Hit* —3E **15**
Cadwell La. *Hit* —3D **14**
Caernarvon Clo. *Stev* —4F **31**
Caister Clo. *Stev* —6C **22**
Caldecote Rd. *Newn* —1B **6**
Calder Way. *Stev* —4A **24**
California. *Bald* —2D **12**
Cam Cen. *Let* —2E **15**
Campbell Clo. *Hit* —5F **15**
Campers Av. *Let* —6E **11**
Campers Rd. *Let* —6D **10**
Campers Wlk. *Let* —6E **11**
Campfield Way. *Let* —6D **10**
Campion Ct. *Stev* —1E **27**
Campkin Mead. *Stev* —6D **28**
Campshill La. *Stev* —3A **28**
Campus Five. *Let* —4A **12**
Cam Sq. *Hit* —2E **15**
Cannix Clo. *Stev* —1E **31**
Cannon Ho. Hit —1D **20**
  (off Queen St.)
Canterbury Pk. —5H **23**
Canterbury Way. *Stev* —6G **23**
Cardiff Clo. *Stev* —4F **31**
Carters Clo. *Arl* —2A **4**
Carters Clo. *Stev* —5D **28**
Carters Wlk. *Arl* —2A **4**
Carters Way. *Arl* —2A **4**
Cartwright Rd. *Stev* —5C **24**
Cashio La. *Let* —2G **11**
Caslon Way. *Let* —2F **11**
Castings Ho. *Let* —4G **11**
Castle Ct. *Hit* —4B **14**
Castles Clo. *Stot* —1F **5**
Cavalier Ct. Stev —6D **22**
  (off Ingleside Dri.)

Cavell Wlk.—Farriers Clo.

Cavell Wlk. *Stev* —4C **28**
Cavendish Rd. *Stev* —4C **26**
Caxton Ga. *Stev* —5D **26**
Caxton Way. *Stev* —5D **26**
Cedar Av. *Ickl* —1C **14**
Cemetery Rd. *Hit* —1D **20**
Central Av. *Henl* —6D **2**
Chace, The. *Stev* —2D **30**
Chadwell Rd. *Stev* —5D **26**
Chagney Clo. *Let* —5E **11**
Chalkden Path. *Hit* —5B **14**
Chalkdown. *Stev* —2D **28**
Chalk Fld. *Let* —2E **17**
Chalk Hills. *Bald* —6D **12**
Chambers Ga. *Stev* —2F **27**
Chambers La. *Ickl* —1C **14**
Chancellors Rd. *Stev* —6E **23**
Chantry La. *Hit* —5B **22**
Chaomans. *Let* —2B **16**
Chapel Pl. *Stot* —4F **5**
Chapel Row. *Hit* —5D **14**
(off Whinbush Rd.)
Chapman Rd. *Stev* —6D **22**
Chapmans, The. *Hit* —1C **20**
Charlton. —3B 20
Charlton Rd. *Hit* —3B **20**
Chase Clo. *Arl* —1A **4**
Chase Hill Rd. *Arl* —3A **4**
Chase, The. *Arl* —3A **4**
Chasten Hill. *Let* —4D **10**
Chatsworth Ct. *Stev* —2D **30**
Chatterton. *Let* —6H **11**
Chaucer Way. *Hit* —5G **15**
Chauncy Gdns. *Bald* —2F **13**
Chauncy Ho. *Stev* —3G **27**
Chauncy Rd. *Stev* —3G **27**
Chells. —3B 28
Chells Enterprise Village. *Stev*
—3C **28**
Chells La. *Stev* —2C **28**
(in two parts)
Chells Manor. —2D 28
Chells Recreation Ground.
—3D **28**
Chells Way. *Stev* —2A **28**
Chennells Clo. *Hit* —3F **15**
Chepstow Clo. *Stev* —1B **28**
Chequers Bri. Rd. *Stev* —3E **27**
Chequers Clo. *Stot* —3G **5**
Cherry Clo. *Kneb* —6G **31**
Cherry Tree Clo. *Arl* —5A **4**
Cherry Tree Ri. *Walk* —6H **25**
Cherry Trees. *L Ston* —6D **2**
Chertsey Ri. *Stev* —5C **28**
Cherwell Dri. *Stev* —4A **24**
Chesfield Downs Family Golf
Cen. —5F **17**
Chesfield Pk. —3H **23**
Chester Rd. *Stev* —6A **24**
Chestnut Av. *Henl* —6D **2**
Chestnut Ct. *Hit* —5B **14**
Chestnut Wlk. *St I* —3E **21**
Chestnut Wlk. *Stev* —6F **23**
Chiltern Pl. *Henl* —1F **3**
Chiltern Rd. *Bald* —5D **12**
Chiltern Rd. *Hit* —1E **21**
Chilterns, The. *Hit* —1E **21**
Chilterns, The. *Stev* —4B **24**
Chiltern Vw. *Let* —6D **10**
Chilvers Bank. *Bald* —4C **12**
Cholwell Rd. *Stev* —6C **28**
Chouler Gdns. *Stev* —5E **23**
Christie Rd. *Stev* —4C **28**
Church End. —2A 4
(Arlesey)
Church End. —4D 18
(Weston)
Church End. *Arl* —1A **4**

Church End. *Walk* —5H **25**
Churchgate. *Hit* —1C **20**
Church Grn. *Gt Wym* —1A **22**
Church La. *Arl* —1A **4**
Church La. *G'ley* —3E **23**
Church La. *Stev* —2E **27**
Church La. *W'ton* —5D **18**
Church La. *W'ian* —2A **12**
Church Path. *Ickl* —1C **14**
Church Path. *L Wym* —4B **22**
Church Rd. *Stot* —3F **5**
Church St. *Bald* —2C **12**
Church Yd. *Hit* —6C **14**
Churchyard Wlk. *Hit* —6C **14**
Clare Cres. *Bald* —5C **12**
Claymore Dri. *Ickl* —6H **9**
Claymores. *Stev* —3G **27**
Cleviscroft. *Stev* —5G **27**
Clifton Rd. *Henl* —1E **3**
Cloister Lawn. *Let* —1B **16**
Cloisters Rd. *Let* —1B **16**
Close, The. *Bald* —4C **12**
Close, The. *Stev* —6E **23**
Clothall. —1E 19
Clothall Rd. *Bald* —3D **12**
Clovelly Way. *Stev* —1C **26**
Coach Dri. *Hit* —2D **20**
Coach Ho. Cloisters. *Bald*
—3C **12**
Coachman's La. *Bald* —3B **12**
Codicote Ho. *Stev* —6E **23**
(off Coreys Mill La.)
Coleridge Clo. *Hit* —5F **15**
Colestrete. *Stev* —5H **27**
Colestrete Clo. *Stev* —4A **28**
College Rd. *Hit* —5D **14**
Collenswood Rd. *Stev* —5B **28**
Collison Clo. *Hit* —3G **15**
Colonnade, The. *Let* —5F **11**
(off Eastcheap)
Colts Corner. *Stev* —5B **28**
Columbus Clo. *Stev* —2A **28**
Colwyn Clo. *Stev* —2D **26**
Commerce Way. *Let* —5F **11**
Common Ri. *Hit* —4E **15**
Common Rd. *Stot* —1F **5**
Common Vw. *Let* —3G **11**
Common Vw. Sq. *Let* —3G **11**
Conifer Clo. *Stev* —2D **28**
Conifer Wlk. *Stev* —2C **28**
Conquest Clo. *Hit* —2D **20**
Constantine Clo. *Stev* —6H **23**
Constantine Pl. *Bald* —2F **13**
Convent Clo. *Hit* —5D **14**
Cook Rd. *Stev* —2B **28**
Cooks Way. *Hit* —4E **15**
Cooper Clo. *L Ston* —1A **8**
Coopers Clo. *Stev* —5D **28**
Coopers Fld. *Let* —4D **10**
Coppens, The. *Stot* —4G **5**
Coppice Mead. *Stot* —4E **5**
Corey's Mill. —6D 22
Coreys Mill La. *Stev* —6D **22**
Corner Clo. *Let* —5E **11**
Cornfields. *Stev* —2C **28**
Corton Clo. *Stev* —1D **26**
Cotney Cft. *Stev* —6D **28**
Cotter Ho. *Stev* —4A **24**
Cotton Brown Pk. *Let* —4A **12**
Coventry Clo. *Stev* —6A **24**
Cowslip Hill. *Let* —4E **11**
Cox's Way. *Arl* —3A **4**
Crabbes Clo. *Hit* —6C **14**
Crabtree Dell. *Let* —2E **17**
Crabtree La. *Bald* —5C **12**
Crab Tree Rd. *Kneb* —6G **31**
Cragside. *Stev* —4G **31**
Cranborne Av. *Hit* —1B **20**

Cranborne Ct. *Stev* —6D **22**
(off Ingleside Dri.)
Creamery Ct. *Let* —2E **17**
Crescent, The. *Henl* —5D **2**
Crescent, The. *Hit* —4B **14**
Crescent, The. *Let* —6G **11**
Crescent, The. *St I* —4E **21**
Cricketer's Rd. *Arl* —5A **4**
Crispin Ter. *Hit* —5B **14**
Croft Ct. *Hit* —6C **14**
Croft La. *Let* —2G **11**
Crofts, The. *Stot* —3F **5**
Crompton Rd. *Stev* —3C **26**
Cromwell Grn. *Let* —3H **11**
Cromwell Rd. *Let* —3H **11**
Cromwell Rd. *Stev* —4C **28**
Crossgates. *Stev* —4G **27**
Crossleys. *Let* —1F **11**
Cross St. *Let* —4F **11**
Crow Furlong. *Hit* —1B **20**
Crown Lodge. *Arl* —5A **4**
Cubitt Clo. *Hit* —6G **15**
Curlew Clo. *Let* —2E **11**
Cuttys La. *Stev* —4G **27**

D

Dacre Rd. *Hit* —5E **15**
Dagnalls. *Let* —3B **16**
Daisy Ct. *Let* —3G **11**
Dale Clo. *Hit* —3D **20**
Dale, The. *Let* —6E **11**
Daltry Clo. *Stev* —5E **23**
Daltry Rd. *Stev* —5E **23**
Damask Clo. *W'ton* —5B **18**
Damask Green. —5B 18
Damask Grn. Rd. *W'ton* —5B **18**
Dancote. *Kneb* —6D **30**
Dane Clo. *Stot* —1F **5**
Dane End Ho. *Stev* —6E **23**
(off Coreys Mill La.)
Dane End La. *Hit* —3E **25**
Danescroft. *Let* —2F **11**
Danesgate. *Stev* —5F **27**
Daneshill Ho. *Stev* —4F **27**
(off Danestrete)
Danestrete. *Stev* —4F **27**
Darwin Rd. *Stev* —3B **28**
David Evans Ct. *Let* —4D **10**
Davis Cres. *Pir* —6A **8**
Davis Row. *Arl* —5A **4**
Dawlish Clo. *Stev* —4G **31**
Dawson Clo. *Henl* —4E **3**
Deacons Way. *Hit* —4B **14**
Deanscroft. *Kneb* —6D **30**
Deard's End La. *Kneb* —5D **30**
Deards Wood. *Kneb* —6D **30**
Deeping Clo. *Kneb* —6G **31**
Dell, The. *Bald* —5C **12**
Dell, The. *Stev* —4G **27**
Denby. *Let* —1D **16**
Dene La. *Ast* —1H **31**
Denton Rd. *Stev* —5G **27**
Dents Clo. *Let* —2E **17**
Derby Way. *Stev* —1B **28**
Derwent Rd. *Henl* —5D **2**
Desborough Rd. *Hit* —5G **15**
Devonshire Clo. *Stev* —3E **31**
Dewpond Clo. *Stev* —1E **27**
Diamond Ind. Cen. *Let* —4A **12**
Ditchmore La. *Stev* —3F **27**
Doncaster Clo. *Stev* —1C **28**
Douglas Dri. *Stev* —1A **28**
Dovedale. *Stev* —5B **28**
Dovehouse La. *Stev* —5G **25**
Dove Rd. *Stev* —4H **23**
Dower Ct. *Hit* —2D **20**
(off London Rd.)
Downlands. *Bald* —2E **13**

Downlands. *Stev* —2D **28**
Drakes Dri. *Stev* —2B **28**
Drapers Way. *Stev* —2E **27**
Dryden Cres. *Stev* —1B **28**
Dugdale Ct. *Hit* —4A **14**
Duke's La. *Hit* —5D **14**
Duncots Clo. *Ickl* —2C **14**
Dunham's La. *Let* —4H **11**
Dunlin. *Let* —2E **11**
Dunn Clo. *Stev* —6G **27**
Durham Rd. *Stev* —6A **24**
Dyes La. *Hit* —5A **26**
Dymoke M. *Stev* —1E **27**

E

Eagle Ct. *Bald* —2C **12**
Earlsmead. *Let* —2B **16**
Eastbourne Av. *Stev* —3C **26**
Eastcheap. *Let* —5F **11**
East Clo. *Hit* —4F **15**
East Clo. *Stev* —4H **27**
Eastern Av. *Henl* —6E **3**
Eastern Way. *Let* —3G **11**
Eastgate. *Stev* —5F **27**
Easthall Ho. *Stev* —5E **23**
(off Coreys Mill La.)
Eastholm. *Let* —3G **11**
Eastholm Grn. *Let* —3G **11**
Eastman Way. *Stev* —5C **24**
East Reach. *Stev* —1E **31**
East Vw. *St I* —5G **21**
Edgeworth Clo. *Stev* —2G **31**
Edison Rd. *Stev* —3B **28**
Edmonds Dri. *Stev* —5D **28**
Edwards Ho. *Stev* —3G **27**
Eisenberg Clo. *Bald* —2F **13**
Elbow La. *Stev* —3F **31**
Eldefield. *Let* —4C **10**
Elderberry Dri. *St I* —3E **21**
Elder Way. *Stev* —6F **27**
Elgin Ho. *Hit* —1E **21**
Eliot Rd. *Stev* —3C **28**
Ellice. *Let* —1D **16**
Ellis Av. *Stev* —1G **27**
Elm Pk. *Bald* —3D **12**
Elms Clo. *L Wym* —4A **22**
Elmside Wlk. *Hit* —5C **14**
Elm Wlk. *Stev* —6B **28**
Elmwood Av. *Bald* —4D **12**
Elmwood Ct. *Bald* —3D **12**
Ely Clo. *Stev* —5B **24**
Emperors Ga. *Stev* —1D **28**
Enjakes Clo. *Stev* —4F **31**
Ennsmore Clo. *Let* —2D **16**
Essex Ho. *Stev* —3D **26**
Essex Rd. *Stev* —1D **26**
Everest Clo. *Arl* —4B **4**
Exchange Rd. *Stev* —4H **27**
Exchange Yd. *Hit* —6C **14**
Exeter Clo. *Stev* —5B **24**
Eynsford Ct. *Hit* —1D **20**

F

Fairfield Way. *Hit* —5H **15**
Fairfield Way. *Stev* —4C **24**
Fairlands Valley Park. —6H 27
(Shephall)
Fairlands Valley Pk. —4A 28
(Stevenage)
Fairlands Way. *Stev* —4E **27**
Fairview Rd. *Stev* —1D **26**
Fakeswell La. *L Ston* —1A **8**
Falcon Clo. *Stev* —1H **31**
Fallowfield. *Stev* —6C **28**
Faraday Rd. *Stev* —3B **28**
Farm Clo. *Let* —2G **11**
Farm Clo. *Stev* —5G **27**
Farriers Clo. *Stev* —2C **12**

Farthing Dri. *Let* —2E **17**
Fawcett Rd. *Stev* —1B **26**
Featherston Rd. *Stev* —6C **28**
Fellowes Way. *Stev* —1D **30**
Fells Clo. *Hit* —5D **14**
Fen End. *Stot* —1F **5**
Ferrier Rd. *Stev* —3C **28**
Field Clo. *Bald* —2E **13**
Fieldfare. *Let* —2E **11**
Fieldfare. *Stev* —6D **28**
Fieldgate Ho. *Stev* —4H **27**
Field La. *Let* —1B **16**
Fifth Av. *Let* —5A **12**
Filey Clo. *Stev* —2C **26**
Finches, The. *Hit* —6E **15**
Fir Clo. *Stev* —2D **30**
Firecrest. *Let* —2E **11**
Firs Clo. *Hit* —5B **14**
First Garden City Heritage
   Mus. —6G **11**
Fisher's Green. —1D 26
Fishers Grn. *Stev* —6C **22**
  (in two parts)
Fishersgreen La. *Stev* —6D **22**
Fisher's Grn. Rd. *Stev* —1D **26**
Fishponds Rd. *Hit* —5C **14**
Fleetwood. *Let* —1D **16**
Fleetwood Cres. *Stev* —1D **26**
Flinders Clo. *Stev* —4C **28**
Flint Rd. *Let* —3A **12**
Florence St. *Hit* —5D **14**
Folly Clo. *Hit* —2E **21**
Folly Path. *Hit* —1D **20**
Football Clo. *Bald* —2C **12**
Fore St. *W'ton* —4B **18**
Forest Row. *Stev* —2D **30**
Forge Clo. *Hit* —5D **14**
Fortuna Clo. *Stev* —1C **28**
Forum, The. *Stev* —4F **27**
Fosman Clo. *Hit* —5B **14**
Foster Clo. *Stev* —6F **23**
Foster Dri. *Hit* —2E **21**
Fouracres. *Let* —2C **16**
Four Acres. *Stev* —2F **27**
Fourth Av. *Let* —4A **12**
Fovant. *Stev* —6D **22**
Foxfield. *Stev* —6C **28**
Fox Rd. *Stev* —4G **27**
Foyle Clo. *Stev* —4C **24**
Francis Clo. *Hit* —2E **21**
Francis Clo. *Stot* —3E **5**
Franklin Gdns. *Hit* —4F **15**
Franklin's Rd. *Stev* —1E **27**
Franks Clo. *Henl* —5D **2**
Fraser Corner. *Stev* —1B **28**
Fred Millard Ct. *Stev* —4G **27**
Freeman's Clo. *Hit* —5B **14**
Freewaters Clo. *Ickl* —1C **14**
Frensham Dri. *Hit* —3G **15**
Friars Rd. *W'ton* —4B **18**
Friday Furlong. *Hit* —5A **14**
Frobisher Dri. *Stev* —2B **28**
Frogmore Ho. *Stev* —5E **23**
  (off Coreys Mill La.)
Fry Rd. *Stev* —4C **28**
Fullers Ct. *Let* —4E **11**
Fulton Clo. *Stev* —4E **27**
Furlay Clo. *Let* —4D **10**
Furmston Ct. *Let* —4G **11**
Furzedown. *Stev* —5B **28**

Gainsford Cres. *Hit* —3G **15**
Galleywood. *Ickl* —1B **14**
Gaping La. *Hit* —6B **14**
GARDEN HOUSE HOSPICE.
    —6H **11**

Garden Row. *Hit* —5D **14**
Gardens, The. *Bald* —3C **12**
Gardens, The. *Henl* —1F **3**
Gardens, The. *Let* —1B **16**
Gardens, The. *Stot* —3E **5**
Garden Wlk. *Stev* —4G **27**
Garrison Ct. *Hit* —6D **14**
Garth Rd. *Let* —2A **16**
Gates Way. *Stev* —3E **27**
Gaunts Way. *Let* —1F **11**
Gentle Ct. *Bald* —3C **12**
George Clo. *Let* —5F **11**
George Leighton Ct. *Stev* —4B **28**
Georgina Ct. *Arl* —6A **4**
Gernon Rd. *Let* —6F **11**
Gernon Wlk. *Let* —6F **11**
Gibbons Way. *Kneb* —6D **30**
Gibson Clo. *Hit* —6F **15**
Gillison Clo. *Let* —6H **11**
Gipsy La. *Kneb* —6C **30**
Girdle Rd. *Hit* —3E **15**
Girons Clo. *Hit* —1F **21**
Glade, The. *Bald* —4C **12**
Glade, The. *Let* —2B **16**
Gladstone Ct. *Stev* —3E **31**
Glebe Av. *Arl* —2A **4**
Glebe Rd. *Let* —4G **11**
Glebe, The. *St I* —5G **21**
Glebe, The. *Stev* —3C **28**
Glenwood Clo. *Stev* —1G **31**
Gloucester Clo. *Stev* —5G **23**
Glovers Ct. *Hit* —4D **14**
Glynde, The. *Stev* —3F **31**
Goddard End. *Stev* —2G **31**
Godfrey Clo. *Stev* —6B **28**
Golden Willows Site. *Ickl* —5G **9**
Goldon. *Let* —1E **17**
Gonville Cres. *Stev* —1G **31**
Gordian Way. *Stev* —6C **24**
Gordon Ct. *Kneb* —6E **31**
Gorleston Clo. *Stev* —6C **22**
Gorst Clo. *Let* —6E **11**
Gosmore. —4D 20
Gosmore. Stev —5E 23
  (off Coreys Mill La.)
Gosmore Ley Clo. *Gos* —4D **20**
Gosmore Rd. *Hit* —2D **20**
Gothic Way. *Arl* —4A **4**
Grace Way. *Stev* —6G **23**
Grammar Sch. Wlk. *Hit* —6C **14**
Granby Rd. *Stev* —5E **23**
Grange Clo. *Hit* —3E **21**
Grange Ct. *Let* —2G **11**
Grange Dri. *Stot* —4F **5**
Grange Rd. *Let* —3F **11**
Grange, The. *Stev* —1E **27**
Granville Rd. *Hit* —4G **15**
Grasmere. *Stev* —4C **24**
Grass Meadows. *Stev* —2D **28**
Graveley. —3E 23
Graveley Clo. Stev —5E 23
  (off Coreys Mill La.)
Graveley La. *Gt Wym* —2B **22**
Graveley Rd. *Gt Wym* —1A **22**
Graveley Rd. *Stev & G'ley*
    —4D **22**
Gray's La. *Hit* —6B **14**
Gt. Ashby Way. *Stev* —5G **23**
Gt. North Rd. *Hinx* —6C **6**
Great Wymondley. —1A 22
Green Acres. *Stev* —2G **31**
Green Clo. *Stev* —1E **31**
Green End. —3C 18
Greenfield Av. *Ickl* —1B **14**
Greenfield La. *Ickl* —1C **14**
Greenfield Rd. *Stev* —2G **27**
Green La. *Hit* —4F **15**

Green La. Ct. *Hit* —4F **15**
Greenlane Ind. Est. *Let* —4A **12**
Greenside Dri. *Hit* —5B **14**
Green St. *Stev* —2E **27**
Green, The. *Newn* —2C **6**
Green, The. *Old K* —6A **30**
Green, The. *Stot* —2F **5**
Greenway. *Let* —3C **16**
Greenway. *Walk* —1H **29**
Greenways. *Stev* —3G **27**
Grenville Way. *Stev* —2E **31**
Gresley Way. *Ast* —2G **31**
  (in two parts)
Gresley Way. *Stev* —6C **24**
Greydells Rd. *Stev* —2G **27**
Grimstone Rd. *L Wym* —3A **22**
Grinders End. *G'ley* —3D **22**
Grosvenor Ct. *Stev* —2C **26**
Grosvenor Rd. *Bald* —2D **12**
Grosvenor Rd. W. *Bald* —2D **12**
Grove Ct. *Arl* —2A **4**
Grove Ho. *Hit* —3E **15**
Grovelands Av. *Hit* —3F **15**
Groveland Way. *Stot* —4G **5**
Grove Rd. *Hit* —5D **14**
Grove Rd. *Stev* —2E **27**
Guildford Clo. *Stev* —5H **23**
Gun La. *Kneb* —6D **30**
Gun Mdw. Av. *Kneb* —6H **31**
Gunnels Wood Pk. *Stev* —6F **27**
Gunnels Wood Rd. *Stev* —2D **26**
Gun Rd. *Kneb* —6H **31**
Gun Rd. Gdns. *Kneb* —6G **31**
Gurney's La. *Hol* —4D **8**

Haddon Clo. *Stev* —4G **31**
Hadleigh. *Let* —1D **16**
Hadrians Wlk. *Stev* —1C **28**
Hadrian Way. *Bald* —4B **12**
Hadwell Clo. *Stev* —6A **28**
Half Acre. *Hit* —1B **20**
Hall Mead. *Let* —5C **10**
Hall's Green. —1E 25
Hallsgreen La. *W'ton* —2D **24**
Hallworth Dri. *Stot* —3E **5**
Halsey Dri. *Hit* —6F **15**
Hambridge Way. *Pir* —2A **14**
  (in two parts)
Hammerdell. *Let* —4D **10**
Hammond Clo. *Stev* —3F **27**
Hamonte. *Let* —1E **17**
Hampden Clo. *Let* —3H **11**
Hampden Rd. *Hit* —4G **15**
Hampden Rd. *Let* —3H **11**
Hampson Pk. —1H **27**
Hampton Clo. *Stev* —4G **31**
Hanover Clo. *Stev* —2D **30**
Hardwick Clo. *Stev* —4G **31**
Hardy Clo. *Hit* —6G **15**
Harefield. *Stev* —4C **28**
Harepark Ter. *Up Ston* —6A **2**
Harkness Ct. *Hit* —4F **15**
  (off Franklin Gdns.)
Harkness Way. *Hit* —3G **15**
Harper Ct. *Stev* —4H **27**
Harrison Clo. *Hit* —6D **14**
Harrow Ct. *Stev* —4G **27**
Harrowdene. *Stev* —5C **28**
Hartland Ct. *Hit* —6B **14**
Harvest La. *Stev* —2D **28**
Harvey Rd. *Stev* —3B **28**
Harwood Pk. Crematorium.
   Kneb —4G **31**
Haselfoot. *Let* —5E **11**
Hastings Clo. *Stev* —1C **26**
Hatch La. *W'ton* —6D **12**
Hawkfield. *Let* —3E **11**

Hawthorn Clo. *Hit* —1B **20**
Hawthorn Hill. *Let* —4E **11**
Hawthorns, The. *Stev* —5A **28**
Hawthorn Way. *L Ston* —1A **8**
Haycroft Rd. *Stev* —2F **27**
Hayfield. *Stev* —2D **28**
Haygarth. *Kneb* —6H **31**
Hayley Comn. *Stev* —6C **28**
Haymoor. *Let* —4E **11**
Haysman Clo. *Let* —4H **11**
Hazel Ct. *Hit* —6E **15**
Hazel Gro. *Stot* —4E **5**
Hazelmere Rd. *Stev* —3E **31**
Hazelwood Clo. *Hit* —5D **14**
Headingley Clo. *Stev* —1G **27**
Heathfield Rd. *Hit* —4C **14**
Heath Hall. *Bald* —4D **12**
Heathmere. *Let* —2F **11**
Hedgerow Clo. *Stev* —1C **28**
Hedgerows, The. *Stev* —1D **28**
Hellards Rd. *Stev* —4F **27**
Hellebore Ct. *Stev* —1B **28**
Henlow. —1F 3
Henlow Airfield. —3C 2
Hensley Clo. *Hit* —1F **21**
Hermitage Rd. *Hit* —6D **14**
Herne Rd. *Stev* —6D **22**
Heron Way. *Stot* —3E **5**
Hertford Ho. *Stev* —3D **26**
Hertford Rd. *Stev* —2D **30**
Hibberts Ct. *Let* —4E **11**
High Av. *Let* —6D **10**
Highbury Rd. *Hit* —1E **21**
Highbush Rd. *Stot* —4E **5**
Highcroft. *Stev* —2D **30**
High Dane. *Hit* —4E **15**
Highfield. *Let* —1H **15**
Highfield Ct. *Stev* —2G **27**
Highover Rd. *Let* —6D **10**
Highover Way. *Hit* —4F **15**
High Plash. *Stev* —4G **27**
High St. *Arl* —3A **4**
High St. *Bald* —3D **12**
High St. *Gos* —4D **20**
High St. *G'ley* —2E **23**
High St. *Henl* —1F **3**
High St. *Hit* —6C **14**
High St. *Stev* —2E **27**
High St. *Stot* —3E **5**
High St. *Walk* —1H **29**
High Vw. *Hit* —1B **20**
Hilary Ri. *Arl* —4B **4**
Hillbrow. *Let* —6D **10**
Hillcrest. *Bald* —4D **12**
Hillcrest. *Stev* —4G **27**
Hillcrest Pk. *Let* —5B **10**
Hillfield Av. *Hit* —3E **15**
Hillgate. *Hit* —2E **15**
Hillmead. *Stev* —3A **28**
Hillpath. *Let* —5H **11**
Hillshott. *Let* —5G **11**
Hillside. *Stev* —4H **27**
Hillside Ho. *Stev* —4H **27**
Hillside Rd. *Bald* —4E **13**
Hillside Rd. *Up Ston* —6A **2**
Hill Top. *Bald* —4C **12**
Hilton Clo. *Stev* —2D **26**
Hine Way. *Hit* —4A **14**
Hitchin. —6C 14
Hitchin Bus. Cen., The. *Hit*
    —2E **15**
Hitchin Hill. —2D 20
Hitchin Hill. *Hit* —1D **20**
Hitchin Hill Path. *Hit* —2D **20**
HITCHIN HOSPITAL. —5B 14
Hitchin Mus. & Art Gallery.
    —6C **14**
Hitchin Rd. *Arl* —1A **10**

Hitchin Rd.—Manchester Clo.

Hitchin Rd. *Gos* —3D **20**
Hitchin Rd. *Henl* —5D **2**
Hitchin Rd. *Hit* —1H **21**
Hitchin Rd. *Let* —2A **16**
Hitchin Rd. *Shef* —1A **2**
Hitchin Rd. *Stev* —5D **22**
Hitchin Rd. *Stot* —6D **4**
Hitchin Rd. *W'ton* —3G **17**
Hitchin St. *Bald* —3C **12**
Hitchin Town F.C. —5C **14**
Hobbs Clo. *Hit* —6F **21**
Hobbs Ct. *Stev* —1A **28**
Holdbrook. *Hit* —6F **15**
Holden Clo. *Hit* —6G **15**
Holders La. *Ast E* —4E **29**
Hollow La. *Hit* —6D **14**
Holly Copse. *Stev* —5H **27**
Holly Leys. *Stev* —3F **31**
Hollyshaws. *Stev* —1F **31**
Holmdale. *Let* —6G **11**
Holwell. —4D **8**
Holwell. Stev —5E **23**
(off Coreys Mill La.)
Holwellbury. —1D **8**
Holwell Rd. *Hol* —4D **8**
Holwell Rd. *Pir* —6A **5**
Home Clo. *Stot* —3F **5**
Homestead Moat. *Stev* —4G **27**
Hoo Rd. *Shef* —2A **2**
Hopewell Rd. *Bald* —3B **12**
Hopton Rd. *Stev* —2C **26**
Horace Gay Gdns. *Let* —6E **11**
Hornbeam Ct. *Gt Wym* —2A **22**
Hornbeam Spring. *Kneb* —6G **31**
Hornbeams, The. *Stev* —5B **28**
Hospital Rd. *Arl* —5H **3**
House La. *Arl* —2A **4**
Howard Clo. *Stot* —4E **5**
Howard Ct. *Let* —1D **16**
Howard Gardens. —6G **11**
Howard Ga. *Let* —1D **16**
Howard Pk. —5G **11**
Howard Pk. Corner. *Let* —5G **11**
Howards Wood. *Let* —2D **16**
Howberry Grn. *Arl* —6H **3**
Hudson Rd. *Stev* —2B **28**
Humber Ct. *Stev* —4H **23**
Hunters Clo. *Stev* —2D **28**
Hunters Clo. *Stot* —3E **5**
Huntingdon Rd. *Stev* —1D **26**
Hunting Ga. *Hit* —2E **15**
Hurst Clo. *Bald* —2E **13**
Hyatt Trad. Est. *Stev* —4C **26**
Hydean Way. *Stev* —6A **28**
Hyde Av. *Stot* —4E **5**
Hyde Grn. E. *Stev* —6B **28**
Hyde Grn. N. *Stev* —6B **28**
Hyde Grn. S. *Stev* —6B **28**
Hyde, The. *Stev* —6C **28**

Ibberson Way. *Hit* —6E **15**
Ickleford. —1C **14**
Ickleford. Stev —5E **23**
(off Coreys Mill La.)
Ickleford Bury. *Ickl* —2C **14**
Ickleford Rd. *Hit* —4D **14**
Icknield Clo. *Ickl* —1C **14**
Icknield Grn. *Let* —5E **11**
Icknield Way. *Bald* —2C **12**
Icknield Way. *Let* —5C **10**
Icknield Way E. *Bald* —2D **12**
Ingelheim Ct. *Stev* —2F **27**
Ingleside Dri. *Stev* —5C **22**
Inn's Clo. *Stev* —3F **27**
Inskip Cres. *Stev* —4G **27**
Iona Clo. *Stev* —5H **23**

Iredale Vw. *Bald* —2E **13**
Ivatt Ct. *Hit* —6G **15**
Ivel Ct. *Let* —1E **17**
Ivel Rd. *Stev* —2E **27**
Ivel Way. *Bald* —5E **13**
Ivel Way. *Stot* —1F **5**
Ivy Ct. *Stot* —2F **5**

Jackdaw Clo. *Stev* —5D **28**
Jackman's Pl. *Let* —5H **11**
Jacks Hill Pk. *G'ley* —6E **17**
Jackson St. *Bald* —2C **12**
James Foster Ho. *Hit* —4C **14**
James Way. *Stev* —2E **27**
Jarden. *Let* —1E **17**
Jay Clo. *Let* —3E **11**
Jennings Clo. *Stev* —6G **27**
Jessop Rd. *Stev* —1A **28**
Jeve Clo. *Bald* —2E **13**
Jill Grey Pl. *Hit* —1D **20**
John Barker Pl. *Hit* —4A **14**
John Henry Leisure Cen.
—6D **22**
Jowitt Ho. *Stev* —3G **27**
Jubilee Cres. *Arl* —1H **9**
Jubilee Memorial Av. *Stev*
(in two parts) —1F **27**
Jubilee Rd. *Let* —4A **12**
Jubilee Rd. *Stev* —1D **26**
Jubilee Trade Cen. *Let* —4B **12**
Julia Ga. *Stev* —1C **28**
Julian's Clo. *Stev* —1E **27**
Julian's Rd. *Stev* —1D **26**
Jupiter Ga. *Stev* —1D **28**

Kardwell Clo. *Hit* —1E **21**
Keats Clo. *Stev* —2C **28**
Keats Way. *Hit* —6G **15**
Keiths Wood. *Kneb* —6D **30**
Keller Clo. *Stev* —5B **28**
Kendale Rd. *Hit* —1D **20**
Kenilworth Clo. *Stev* —4G **31**
Kenmare Clo. *Stev* —4H **23**
Kennet Way. *Stev* —4A **24**
Kent Pl. *Hit* —5B **14**
Kerr Clo. *Kneb* —6D **30**
Kershaw's Hill. *Hit* —1D **20**
(in two parts)
Kessingland Av. *Stev* —6C **22**
Kestrel Clo. *Stev* —1H **31**
Kestrel Wlk. *Let* —2D **16**
Kimberley. *Let* —2F **11**
Kimbolton Cres. *Stev* —3D **30**
Kimpton. *Stev* —5E **23**
(off Coreys Mill La.)
Kingfisher Clo. *Hit* —1E **21**
Kingfisher Ct. *Let* —3E **11**
Kingfisher Ri. *Stev* —1H **31**
King George Clo. *Stev* —3G **27**
King George V Playing Field.
—3B **14**
King Georges Clo. *Hit* —3B **14**
Kings Ct. *Stev* —5F **27**
Kingsdown. *Hit* —1F **21**
Kings Hedges. *Hit* —4A **14**
(in two parts)
King's Rd. *Stev* —5D **14**
Kings Walden Ri. *Stev* —2C **28**
Kingsway. *Stot* —2F **5**
Kingsway Gdns. *Stot* —2E **5**
Kingswood Av. *Hit* —4H **15**
Kipling Clo. *Hit* —6G **15**
Kitcheners La. *Walk* —6H **25**
Kitching La. *Stev* —4B **26**
Kite Way. *Let* —3E **11**
Kiwi Ct. *Hit* —4D **14**

Knap Clo. *Let* —3A **12**
Knebworth. —6E **31**
Knebworth Golf Course. —4C **30**
Knebworth House. —5A **30**
Knights Templar La. *Stev* —1C **28**
Knowle. *Stev* —6D **22**
Knowl Piece. *Hit* —2E **15**
Kristiansand Way. *Let* —3A **12**
Kymswell Rd. *Stev* —5C **28**
Kyrkeby. *Let* —1E **17**

Lacre Way. *Let* —4A **12**
Lamb Mdw. *Arl* —6H **3**
Lammas Mead. *Hit* —3C **14**
Lammas Path. *Stev* —5B **28**
Lammas Way. *Let* —3F **11**
Lancaster Av. *Hit* —5C **14**
Lancaster Clo. *Stev* —5G **23**
Lancaster Rd. *Hit* —5C **14**
Langbridge Clo. *Hit* —2E **21**
Langleigh. *Let* —2F **11**
Langthorne Av. *Stev* —3G **27**
Lannock. *Let* —1F **17**
Lannock Hill. *Let* —3F **17**
Lanterns. *Stev* —2C **28**
Lanterns La. *Ast E* —3D **28**
Lanthony Ct. *Arl* —5A **4**
Lapwing Dell. *Let* —3D **16**
Lapwing Ri. *Stev* —6D **28**
Larch Av. *St I* —3E **21**
Larkins Clo. *Bald* —2D **12**
Larkinson. *Stev* —2E **27**
Larwood Gro. *Stev* —1A **28**
Latchmore Clo. *Hit* —2D **20**
Latchmore Rd. *Hit* —2D **20**
Laurel M. *Bald* —2D **12**
Laurel Way. *Ickl* —2C **14**
Lavender Ct. *Bald* —2C **12**
Lavender Way. *Hit* —6B **14**
Lawns, The. *Stev* —5D **28**
Lawrence Av. *Let* —1C **16**
Lawrence Av. *Stev* —2G **27**
Lawrence Mead. *L Wym* —3B **22**
Laxton Gdns. *Bald* —4E **13**
Leas, The. *Bald* —4C **12**
Leaves Spring. *Stev* —1D **30**
Leggett Gro. *Stev* —1G **27**
Leslie Clo. *Stev* —1G **31**
Letchmore Clo. *Stev* —3F **27**
Letchmore Rd. *Stev* —3F **27**
(in two parts)
Letchworth. —5F **11**
Letchworth Bus. & Retail Pk.
Let —4A **12**
Letchworth Ga. *Let* —6H **11**
Letchworth Golf Course. —3A **16**
Letchworth La. *Let* —2B **16**
Letchworth Mus. & Art Gallery.
—6F **11**
Letchworth Rd. *Bald* —3B **12**
Letchworth Shop. Cen. *Let*
—5F **11**
Letchworth Swimming Pool.
—4G **11**
Letter Box Row. *Gos* —4D **20**
Leyden Rd. *Stev* —6F **27**
Leys Av. *Let* —5F **11**
Lime Clo. *Stev* —5D **28**
Limekiln La. *Bald* —4D **12**
Limes, The. *Arl* —1A **4**
Limes, The. *Hit* —1B **20**
Lincoln Rd. *Stev* —5B **24**
Lindencroft. *Let* —2G **11**
Lindens, The. *Stev* —5G **27**
Lindsay Av. *Hit* —2F **21**
Lingfield Rd. *Stev* —6C **24**
Link, The. *Let* —2G **11**
Linkways E. *Stev* —4H **27**

Linkways W. *Stev* —4H **27**
Linnet Clo. *Let* —3E **11**
Lintern Clo. *Hit* —1G **21**
Lintott Clo. *Stev* —3F **27**
Lismore. *Stev* —2G **31**
Lister Av. *Hit* —2D **20**
Lister Clo. Stev —5E **23**
(off Coreys Mill La.)
LISTER HOSPITAL. —5D **22**
Little Almshoe. —6F **21**
Littlebury Clo. *Stot* —4G **5**
Little Hyde. *Stev* —5B **28**
Little La. *Pir* —6A **8**
(in two parts)
Little Wymondley. —4B **22**
Lit. Wymondley By-Pass. *Hit &*
Stev —3G **31**
Livingstone Link. *Stev* —1B **28**
Lodge Ct. *Ickl* —2C **14**
Lodge Way. *Stev* —2E **31**
Lolleywood La. *Hit* —5F **19**
Lomond Way. *Stev* —5C **24**
London Rd. *Bald* —5D **12**
(in two parts)
London Rd. *Gos*
—2D **20** & 5A **20**
London Rd. *Kneb* —6E **31**
London Rd. *Stev* —5F **27**
London Row. *Arl* —6A **4**
Long Clo. *L Ston* —1A **8**
Longcroft Rd. *Stev* —2G **27**
Longfield. *Stev* —1D **26**
Longfield Ct. *Let* —4D **10**
Longfields. *Stev* —2G **31**
Long Hyde. *Stev* —5B **28**
Long La. *Ast E* —4D **28**
Long Leaves. *Stev* —1E **31**
Longmead. *Let* —4E **11**
Longmeadow Dri. *Ickl* —6G **9**
Longmeadow Grn. *Stev* —2G **31**
Long Ridge. *Ast* —2H **31**
Lonsdale Ct. *Stev* —2H **27**
Lonsdale Rd. *Stev* —1H **27**
Lordship La. *Let* —1D **16**
Lovell Clo. *Hit* —1E **21**
Lower Innings. *Hit* —5B **14**
Lower Sean. *Stev* —6A **28**
Lower Stondon. —6C **2**
Lower Titmore Green. —6A **22**
Lowes Clo. *Stev* —5C **24**
Lucas La. *Hit* —5B **14**
Lygrave. *Stev* —3G **31**
Lyle's Row. *Hit* —1D **20**
Lymans Rd. *Arl* —3A **4**
Lymington Rd. *Stev* —1D **26**
Lyndale. *Stev* —5G **27**
Lynton Av. *Arl* —4A **4**
Lytton Av. *Let* —6F **11**
Lytton Fields. *Kneb* —6D **30**
Lytton Way. *Stev* —2E **27**

Macfadyen Webb Ho. *Let*
—4G **11**
Mackenzie Sq. *Stev* —6B **28**
Maddles. *Let* —1F **17**
Made Feld. *Stev* —4H **27**
Magellan Clo. *Stev* —4D **28**
Magpie Cres. *Stev* —5D **28**
Maiden St. *W'ton* —4B **17**
Mallard Clo. *Stev* —1H **31**
Malthouse La. *Stot* —2G **5**
Maltings Clo. *Bald* —2E **13**
Maltings, The. *Let* —2A **12**
Maltings, The. *Stev* —1H **29**
Malvern Clo. *Stev* —4F **31**
Manchester Clo. *Stev* —4H **23**

Mandeville. *Stev* —3G **31**
Manor Clo. *Ickl* —2C **14**
Manor Clo. *Let* —2B **16**
Manor Cres. *Hit* —1F **21**
Manor Ho. Dri. *Stev* —2D **28**
Manor Vw. *Stev* —2F **31**
Manor Way. *Old K* —6A **30**
Mansfield Rd. *Bald* —4C **12**
Manton Rd. *Hit* —1F **21**
Maple Clo. *L Ston* —1A **8**
Maples Ct. *Hit* —6C **14**
Maples, The. *Hit* —2D **20**
Maples, The. *Stev* —2F **31**
Marcus Clo. *Stev* —1C **28**
Market Pl. *Hit* —6C **14**
Market Pl. *Stev* —4F **27**
Market Sq. *Stev* —4F **27**
Marlborough Clo. *W'ton* —5B **18**
Marlborough Rd. *Stev* —4C **28**
Marlowe Clo. *Stev* —1C **28**
Marmet Av. *Let* —5E **11**
Marquis Bus. Cen. *Bald* —2E **13**
Marschefield. *Stot* —3E **5**
Marshgate. *Stev* —4F **27**
Martin's Ho. *Stev* —6A **24**
Martins Way. *Stev* —1E **27**
Martin Way. *Let* —6D **10**
Marymead Ct. *Stev* —3E **31**
Marymead Dri. *Stev* —3E **31**
Marymead Ind. Est. *Stev* —3F **31**
Masefield. *Hit* —6G **15**
Matthew Ga. *Hit* —2E **21**
Matthews Clo. *Stev* —6F **23**
Mattocke Rd. *Hit* —4A **14**
Maxwell Rd. *Stev* —4D **26**
Maxwell's Path. *Hit* —5B **14**
Maycroft. *Let* —2G **11**
Maydencroft La. *Gos* —3B **20**
Mayfield Cres. *L Ston* —1A **8**
Mayles Clo. *Stev* —2D **26**
Maylin Clo. *Hit* —5G **15**
Maytrees. *Hit* —1E **21**
Mead Clo. *Stev* —3H **27**
Meadow Bank. *Hit* —5F **15**
Meadowsweet. *L Ston* —1B **8**
Meadow Way. *Hit* —1B **20**
Meadow Way. *Let* —6F **11**
Meadow Way. *Stev* —4H **27**
Meadow Way. *Stot* —3F **5**
Meads, The. *Let* —5E **11**
Mead, The. *Hit* —3C **14**
Meadway. *Kneb* —6G **31**
Meadway. *Stev* —3D **26**
(Gunnels Wood Rd.)
Meadway. *Stev* —3C **26**
(Redcar Dri., in two parts)
Meadway Ct. *Stev* —3D **26**
Meadway Technology Pk. *Stev*
—3C **26**
Medalls Link. *Stev* —6A **28**
Medalls Path. *Stev* —6A **28**
Meeting Ho. La. *Bald* —2C **12**
Melbourn Clo. *Stot* —3F **5**
Melne Rd. *Stev* —3F **31**
Merchants Wlk. *Bald* —2F **13**
Mercia Rd. *Bald* —3E **13**
Meredith Rd. *Stev* —1A **28**
Mermaid Clo. *Hit* —6F **15**
Mews, The. *Let* —2D **16**
Michael Muir Ho. *Hit* —4B **14**
Middlefields. *Let* —2F **11**
Middlefields Ct. Let —2F 11
(off Middlefields)
Middle Row. *Stev* —2E **27**
Middlesborough Clo. *Stev*
—5H **23**
Middlesex Ho. *Stev* —3D **26**

Midhurst. *Let* —3F **11**
Mildmay Rd. *Stev* —1B **28**
Milestone Clo. *Stev* —5D **28**
Milestone Rd. *Hit* —4B **14**
Milestone Rd. *Kneb* —6E **31**
Milksey La. *Hit* —2E **23**
Millard Way. *Hit* —3G **15**
Mill Clo. *Hit* —5G **15**
Mill Clo. *Stot* —3G **5**
Millfield La. *St I* —3D **20**
Mill La. *Arl* —5H **3**
Mill La. *Gos* —4D **20**
Mill La. *Stot* —3G **5**
Mill La. *W'ton* —4C **18**
Mill Rd. *St I* —4D **20**
Millstream Clo. *Hit* —3D **14**
Mill Way. *Hit* —2A **14**
Milne Clo. *Let* —2D **16**
Milton Vw. *Hit* —6G **15**
Mindenhall Ct. Stev —2E 27
(off High St.)
Minehead Way. *Stev* —2C **26**
Minerva Clo. *Stev* —6C **24**
Minsden Rd. *Stev* —6D **28**
Mixies, The. *Stot* —3E **5**
Mobbsbury Way. *Stev* —2B **28**
Monklands. *Let* —5D **10**
Monks Clo. *Let* —5C **10**
Monks Vw. *Stev* —1D **30**
Monkswood Retail Pk. *Stev*
—6G **27**
Monkswood Way. *Stev* —5G **27**
Montfitchet Wlk. *Stev* —1D **28**
Moormead Clo. *Hit* —1B **20**
Moormead Hill. *Hit* —1A **20**
Moors Ley. *Walk* —6G **25**
Morecombe Clo. *Stev* —2D **26**
Morgan Clo. *Stev* —6F **23**
Morris Clo. *Henl* —4E **3**
Moss Way. *Hit* —4A **14**
Mount Garrison. *Hit* —6D **14**
Mountjoy. *Hit* —4G **15**
Mount Pleasant. *Hit* —1B **20**
Mount Pleasant Golf Course.
—6B **2**
Mowbray Cres. *Stot* —2F **5**
Mowbray Gdns. *Hit* —2E **21**
Mozart Ct. *Stev* —4E **27**
Muddy La. *Let* —2B **16**
Muirhead Way. *Kneb* —6D **30**
Mulberry Clo. *Stot* —4F **5**
Mulberry Way. *Hit* —3B **14**
Mullway. *Let* —5C **10**
Mundesley Clo. *Stev* —6D **22**
Muntings, The. *Stev* —6A **28**
Munts Mdw. *W'ton* —4C **18**
Murrell La. *Stot* —4G **5**

Narrowbox La. *Stev* —2C **28**
Nash Clo. *Stev* —3B **28**
Neagh Clo. *Stev* —4C **24**
Nene Rd. *Henl* —5D **2**
Neptune Ga. *Stev* —6D **24**
Netherstones. *Stot* —2F **5**
Netley Dell. *Let* —2D **16**
Nevell's Grn. *Let* —4F **11**
Nevells Rd. *Let* —5F **11**
Nevilles Ct. *Let* —3A **12**
Newbury Clo. *Stev* —6F **23**
Newcastle Clo. *Stev* —4H **23**
New Clo. *Kneb* —5D **30**
Newells. *Let* —1E **17**
Newells Way. *Let* —6B **12**
New England Clo. *St I* —3D **20**
Newhaven. *Stev* —5A **28**
Newlands. *Let* —2C **16**

Newlands Clo. E. *Hit* —3D **20**
Newlands Clo. W. *Hit* —3D **20**
Newlands La. *Hit* —3D **20**
Newlyn Clo. *Stev* —3C **26**
Newnham. —2D 6
Newnham Hall. —1D 6
Newnham Rd. *Bald* —2D **6**
New Rd. *Shef* —1C **2**
Newton Rd. *Stev* —3B **28**
Newtons Way. *Hit* —1D **20**
Nicholas Pl. *Stev* —6F **23**
Nightingale Ct. *Hit* —5E **15**
Nightingale Rd. *Hit* —5D **14**
Nightingale Ter. *Arl* —6A **4**
Nightingale Wlk. *Stev* —4C **28**
Nightingale Way. *Bald* —5C **12**
Nimbus Way. *Hit* —6G **15**
Ninesprings Way. *Hit* —1F **21**
Nodes Dri. *Stev* —2E **31**
Nokeside. *Stev* —3F **31**
Noke, The. *Stev* —3F **31**
Normans Clo. *Let* —2F **11**
North Av. *Let* —3H **11**
Northern Av. *Henl* —6D **2**
Northfields. *Let* —2F **11**
Northgate. *Stev* —4F **27**
North Herts Leisure Cen.
—5A **12**
North Pl. *Hit* —4B **14**
North Rd. *G'ley & Stev* —4E **23**
Norton. —2A 12
Norton Bury La. *Let* —1A **12**
Norton Common. —3F **11**
Norton Cres. *Bald* —3C **12**
Norton Green. —6D 26
Norton Grn. Rd. *Stev* —5E **27**
Norton Mill La. *Let & Hinx* —6B **6**
Norton Rd. *Let & Bald* —3G **11**
Norton Rd. *Stev* —5F **27**
Norton Rd. *Stot & Let* —5G **5**
Norton Way N. *Let* —5G **11**
Norton Way S. *Let* —5G **11**
Norwich Clo. *Stev* —6B **24**
Nun's Clo. *Hit* —6C **14**
Nup End Green. —6A 30
Nursery Clo. *Stev* —3E **31**
Nutleigh Gro. *Hit* —4B **14**

Oakfield. —2F **21**
Oakfield Av. *Hit* —2F **21**
Oakfields. *Stev* —2F **31**
Oakfields Av. *Kneb* —5E **31**
Oakfields Clo. *Stev* —2G **31**
Oakfields Rd. *Kneb* —5E **31**
Oakhill. *Let* —1F **17**
Oak La. *G'ley* —3D **22**
Oaks Clo. *Hit* —2D **20**
Oaks Cross. *Stev* —2F **31**
Oaktree Clo. *Let* —1A **16**
Oakwell Clo. *Stev* —4H **31**
Oakwood Clo. *Stev* —1G **31**
Offley Rd. *Hit* —1B **20**
Old Bakery. *Hit* —6C **14**
Old Bourne Way. *Stev* —4A **24**
Old Brewery Clo. *Stot* —2F **5**
Old Chantry. *Stev* —5C **22**
Old Charlton Rd. *Hit* —1C **20**
Olden Mead. *Let* —2D **16**
Olde Swan Ct. *Stev* —2E **27**
Oldfield Farm Rd. *Henl* —5D **2**
(in two parts)
Old Hale Way. *Hit* —4C **14**
Old Knebworth. —5A 30
Old Knebworth La. *Old K* —5A **30**
Old La. *Kneb* —6E **31**
Old Oak Clo. *Arl* —1A **4**
Old Pk. Rd. *Hit* —6C **14**

Old School Wlk. *Arl* —5A **4**
Old Stevenage. —2E 27
Old Walled Garden, The. *Stev*
—6E **23**
Oliver's La. *Stot* —3F **5**
(in two parts)
Olympus Rd. *Henl* —5D **2**
Openshaw Way. *Let* —5F **11**
Orchard Clo. *Let* —3F **11**
Orchard Clo. *St I* —4D **20**
Orchard Cres. *Stev* —2E **27**
Orchard Rd. *Bald* —2C **12**
Orchard Rd. *Hit* —4F **15**
Orchard Rd. *Stev* —2E **27**
Orchard, The. *Bald* —3D **12**
Orchard Vw. *Hit* —4F **15**
Orchard Way. *Let* —3F **11**
Orchard Way. *L Ston* —6D **2**
Ordelmere. *Let* —2F **11**
Orlando Clo. *Hit* —1E **21**
Orwell Av. *Stev* —4H **23**
Orwell Vw. *Bald* —2F **13**
Osbourne Ct. *Bald* —4D **12**
Osprey Gdns. *Stev* —1H **31**
Osterley Clo. *Stev* —4G **31**
Oughton Clo. *Hit* —5B **14**
Oughtonhead La. *Hit* —5A **14**
(in two parts)
Oughton Head Way. *Hit* —5B **14**
Oundle Clo. *Stev* —3G **31**
Oundle Path. *Stev* —3G **31**
Oundle, The. *Stev* —2G **31**
Oval, The. *Henl* —6E **3**
Oval, The. *Stev* —6A **24**
Owen Jones Clo. *Henl* —4E **3**
Oxleys Rd. *Stev* —6B **28**

Pacatian Way. *Stev* —1C **28**
Paddock Clo. *Let* —6G **11**
Paddocks Clo. *Stev* —5B **28**
Paddocks, The. *Stev* —5B **28**
Paddock, The. *Hit* —2E **21**
Page Clo. *Bald* —5D **12**
Palmerston Ct. *Stev* —2B **28**
Pankhurst Cres. *Stev* —4C **28**
Parade, The. Let —2F 11
(off Southfields)
Parishes Mead. *Stev* —5D **28**
Park Clo. *Bald* —4C **12**
Park Clo. *Stev* —2F **31**
Park Ct. *Let* —5G **11**
Park Cres. *Bald* —4C **12**
Park Dri. *Bald* —4C **12**
Parker Clo. *Let* —1A **16**
Parker's Fld. *Stev* —5C **28**
Pk. Farm Clo. *Henl* —1F **3**
Parkfield. *Let* —1F **17**
Park Gdns. *Bald* —4C **12**
Park Ga. *Hit* —1D **20**
Park La. *Old K* —6A **30**
Park Pl. *Stev* —4F **27**
Park St. *Bald* —3C **12**
Park St. *Hit* —1C **20**
Park Vw. *Stev* —2F **31**
Park Way. *Hit* —1C **20**
Parkway. *Stev* —2E **31**
Parsons Grn. Ind. Est. *Stev*
—5C **24**
Pascal Way. *Let* —3H **11**
Passingham Av. *Hit* —1E **21**
Pasture Rd. *Let* —2A **16**
Pastures, The. *Stev* —1D **28**
Pastures, The. *Up Ston* —6A **2**
Paynes Clo. *Let* —2G **11**
Payne's Pk. *Hit* —6C **14**
Pearl Ct. *Bald* —3D **12**

Pearsall Clo.—Simpson Dri.

Pearsall Clo. *Let* —6H **11**
Pear Tree Clo. *L Ston* —6D **2**
Pear Tree Dell. *Let* —2D **16**
Peartree Way. *Stev* —6A **28**
Pebbles, The. *Radw* —5A **6**
Peckworth Ind. Est. *L Ston* —5C **2**
Pelican Way. *Let* —2F **11**
Pembroke Rd. *Bald* —3D **12**
Penfold Clo. *Bald* —4E **13**
Penn Rd. *Stev* —4G **27**
Penn Way. *Let* —2D **16**
Pepper All. *Bald* —3D **12**
Peppercorn Wlk. *Hit* —6F **15**
Pepper Ct. *Bald* —3C **12**
Pepsal End. *Stev* —3F **31**
Pepys Way. *Bald* —3C **12**
Periwinkle La. *Hit* —4D **14**
Peters Way. *Kneb* —5D **30**
Petworth Clo. *Stev* —4G **31**
Pike End. *Stev* —3F **27**
Pilgrims Way. *Stev* —6A **24**
PINEHILL HOSPITAL. —6F **15**
Pinewoods. *Stev* —2D **30**
Pin Green. —6A 24
Pin Green Ind. Est. *Stev* —5C **24**
(Cartwright Rd.)
Pin Grn. Ind. Est. *Stev* —5B **24**
(Wedgwood Way)
Pinnocks Clo. *Bald* —4D **12**
Pinnocks La. *Bald* —4D **12**
Pirton. —6A 8
Pirton Clo. *Hit* —6B **14**
Pirton Rd. *Hit* —1A **20**
Pirton Rd. *Hol* —5C **8**
Pitch And Putt Course. —2C **16**
(Letchworth)
Pitch And Putt Course. —2H **27**
(Stevenage)
Pitt Ct. *Stev* —2F **31**
Pixmore Av. *Let* —5H **11**
Pixmore Cen. *Let* —5G **11**
Pixmore Ind. Est. *Let* —5G **11**
Pixmore Way. *Let* —6F **11**
Pix Rd. *Let* —5G **11**
Pix Rd. *Stot* —4E **5**
Plash Dri. *Stev* —4G **27**
Plum Tree Rd. *L Ston* —6D **2**
Pollard Gdns. *Stev* —1H **27**
Pond Clo. *Stev* —2E **27**
Pondcroft Rd. *Kneb* —6E **31**
Pond La. *Bald* —3C **12**
Pondside. *G'ley* —3E **23**
Poplar Clo. *Hit* —1E **21**
Poplars. —6D 28
Poplars, The. *Arl* —1A **4**
Poplars, The. *Ickl* —5H **9**
Popple Way. *Stev* —3G **27**
Poppy Mead. *Stev* —5H **27**
Portland Ind. Est. *Arl* —1H **9**
Portman Clo. *Hit* —3B **14**
Portmill La. *Hit* —6D **14**
Post Office Row. *W'ton* —4B **18**
Potters La. *Stev* —5D **26**
Pound Av. *Stev* —3F **27**
Pound Ct. *Stev* —3F **27**
Prestatyn Clo. *Stev* —2D **26**
Preston Rd. *Gos* —5D **20**
Primary Way. *Arl* —5A **4**
Primett Rd. *Stev* —2E **27**
Primrose Clo. *Arl* —5H **3**
Primrose Ct. *Stev* —2F **27**
Primrose Hill Rd. *Stev* —2F **27**
Primrose La. *Arl* —5H **3**
Prince's St. *Stot* —2F **5**
Priory Ct. *Hit* —2D **20**
Priory Dell. *Stev* —4G **27**
Priory End. *Hit* —1D **20**

Priory La. *L Wym* —3B **22**
Priory Pk. —2C 20
Priory Vw. *L Wym* —3A **22**
Priory Way. *Hit* —3C **20**
Protea Ind. Est. *Let* —5H **11**
Protea Way. *Let* —5H **11**
Providence Gro. *Stev* —1G **27**
Providence Pl. *Bald* —4D **12**
Providence Way. *Bald* —4D **12**
Pryor Rd. *Bald* —4D **12**
Pryors Ct. *Bald* —2D **12**
Pryor Way. *Let* —1F **17**
Pullman Dri. *Hit* —6F **15**
Pulter's Way. *Hit* —1E **21**
Purcell Ct. *Stev* —1E **27**
Purwell. —5G 15
Purwell La. *Hit* —5G **15**
Pyms Clo. *Let* —3H **11**

Quadrant, The. *Let* —5F **11**
Quadrant, The. *Stev* —5F **27**
Queen Anne's Clo. *Stot* —4F **5**
Queen St. *Hit* —1D **20**
Queen St. *Stot* —3G **5**
Queensway. *Stev* —4F **27**
Queenswood Dri. *Hit* —4G **15**
Quills. *Let* —1F **17**
Quinn Way. *Let* —6A **12**

Raban Clo. *Stev* —2G **31**
Raban Ct. *Bald* —2D **12**
Radburn Corner. *Let* —6A **12**
Radburn Way. *Let* —1D **16**
Radcliffe Rd. *Hit* —5E **15**
Radwell. —5A 6
Radwell La. *Radw* —5A **6**
Raleigh Cres. *Stev* —1A **28**
Rally, The. *Arl* —2A **4**
(in two parts)
Ramerick Gdns. *Arl* —1H **9**
Ramsdell. *Stev* —4H **27**
Randalls Hill. *Stev* —6B **28**
Rand's Clo. *Hol* —4D **8**
Rand's Mdw. *Hol* —4D **8**
Ransom Clo. *Hit* —3D **20**
Ranworth Av. *Stev* —4G **31**
Rectory Cft. *Stev* —6F **23**
Rectory La. *Stev* —6E **23**
Redcar Dri. *Stev* —3C **26**
Redcoats. —5H 21
Redhill Rd. *Hit* —5A **14**
Redhoods Way E. *Let* —4E **11**
Redhoods Way W. *Let* —5E **11**
Redoubt Clo. *Hit* —4E **15**
Redwing Clo. *Stev* —5C **28**
Regal Ct. *Hit* —5D **14**
Regent Ct. *Stot* —2F **5**
Regent St. *Stot* —3F **5**
Reynolds. *Let* —2F **11**
Rhee Spring. *Bald* —2F **13**
Riccat La. *Stev* —4H **23**
Rickyard, The. *Let* —2A **12**
Riddel Gdns. *Bald* —3D **12**
Riddy Hill Clo. *Hit* —1E **21**
Riddy La. *Hit* —1E **21**
Ridge Av. *Let* —5G **11**
Ridge Rd. *Let* —5G **11**
Ridge, The. *Let* —5G **11**
Ridgeway. *Stev* —4H **27**
Ridgeway, The. *Hit* —1B **20**
Ridings, The. *Stev* —6B **28**
Ridlins End. *Stev* —1G **31**
Ringtale Pl. *Bald* —2F **13**
Ripon Rd. *Stev* —5H **23**
Rise, The. *Bald* —4C **12**
River Ct. *Ickl* —1D **14**

River Mead. *Hit* —3A **14**
Rivett Clo. *Bald* —2E **13**
Roaring Meg Retail &
    Leisure Pk. *Stev* —6G **27**
Robert Humbert Ho. *Let* —6G **11**
Robert Saunders Ct. *Let* —1A **16**
Robert Tebbutt Ct. *Hit* —6C **14**
Robin Wlk. *Let* —2E **11**
Rockingham Way. *Stev* —6G **27**
Roebuck Ct. *Stev* —2D **30**
Roebuck Ga. *Stev* —2D **30**
Roebuck Retail Pk. *Stev* —1C **30**
Roe Clo. *Stot* —4E **5**
Roman La. *Bald* —3D **12**
Romany Clo. *Let* —5C **10**
Rookes Clo. *Let* —2D **16**
Rook Tree Clo. *Stot* —3F **5**
Rook Tree La. *Stot* —2F **5**
Rookwood Dri. *Stev* —2F **31**
Rooky Yd. *Stev* —2E **27**
Rosemont Clo. *Let* —5E **11**
Ross Ct. *Stev* —2B **28**
Round Mead. *Stev* —6D **28**
Roundwood Clo. *Hit* —3G **15**
Rowan Clo. *W'ton* —5B **18**
Rowan Cres. *Let* —4E **11**
Rowan Cres. *Stev* —2F **27**
Rowan Gro. *St I* —3E **21**
Rowans, The. *Bald* —4C **12**
Rowland Rd. *Stev* —5H **27**
Rowland Way. *Let* —5F **11**
Royal Oak La. *Pir* —6A **8**
Royston Rd. *Bald* —2D **12**
Ruckles Clo. *Stev* —4G **27**
Rudd Clo. *Stev* —6B **28**
Rudham Gro. *Let* —2E **17**
Rundells. *Let* —1F **17**
Runnalow. *Let* —4D **10**
Runswick Ct. *Stev* —2C **26**
Rushby Mead. *Let* —5G **11**
Rushby Pl. *Let* —6G **11**
Rushby Wlk. *Let* —5G **11**
Rush Green. —5A 26
Ruskin La. *Hit* —6G **15**
Russell Clo. *Stev* —1F **31**
Russell's Slip. *Hit* —1B **20**
Rutherford Clo. *Stev* —3C **26**
Ryder Av. *Ickl* —2B **14**
Ryder Way. *Ickl* —2B **14**
Rye Clo. *Stev* —4H **23**
Ryecroft. *Stev* —2G **27**
Rye Gdns. *Bald* —2F **13**
Ryley Clo. *Henl* —5D **2**

Saddlers Clo. *Bald* —3C **12**
    (off Hitchin St.)
Saffron Clo. *Arl* —2A **4**
Saffron Hill. *Let* —5E **11**
St Albans Dri. *Stev* —6G **23**
St Albans Highway. *Pres* —6D **20**
St Albans Link. *Stev* —6G **23**
St Andrews Dri. *Stev* —5H **23**
St Andrew's Pl. *Hit* —6D **14**
St Annes Ct. *Hit* —5D **14**
St Anne's Rd. *Hit* —5D **14**
St Davids Clo. *Stev* —4H **23**
St Elmo Ct. *Hit* —2D **20**
St Faiths Clo. *Hit* —4F **15**
St George's Way. *Stev* —4F **27**
St Ibbs. —5E 21
St Ippollitts. —4F 21
St John's Path. *Hit* —1D **20**
St John's Rd. *Arl* —5A **4**
St John's Rd. *Hit* —2D **20**
St Katharines Clo. *Ickl* —2B **14**
St Margarets. *Stev* —1D **30**
St Mark's Clo. *Hit* —4B **14**

St Martin's Rd. *Kneb* —6E **31**
St Mary's Av. *Stot* —3F **5**
St Mary's Clo. *Ast* —1H **31**
St Mary's Clo. *Let* —3B **16**
St Mary's Way. *Bald* —5C **12**
St Michaels Ct. *Stev* —6G **27**
St Michaels Clo. *Stev* —4A **24**
St Michael's Mt. *Hit* —5E **15**
St Michaels Rd. *Hit* —5F **15**
St Nicholas Pk. —4A 24
St Olives. *Stot* —3E **5**
St Pauls Ct. *Stev* —2D **30**
St Peter's Av. *Arl* —2A **4**
St Peters Grn. *Hol* —4D **8**
Sale Dri. *Clot C* —2D **12**
Salisbury Rd. *Bald* —2C **12**
Salisbury Rd. *Stev* —5A **24**
Sanderling Clo. *Let* —3E **11**
Sandover Clo. *Hit* —1F **21**
Sandown Rd. *Stev* —6C **24**
Sandy Gro. *Hit* —1D **20**
Sanfoine Clo. *Hit* —5G **15**
Saunders Clo. *Let* —4A **12**
Sax Ho. *Let* —2E **11**
Saxon Av. *Stot* —1F **5**
Saxon Clo. *Let* —2F **11**
Saxon Way. *Bald* —2F **13**
Sayer Way. *Kneb* —6G **31**
Scarborough Av. *Stev* —1C **26**
School Clo. *Stev* —6B **28**
Schoolfields. *Let* —6A **12**
School La. *Ast* —6E **29**
School Wlk. *Let* —5H **11**
Scott Rd. *Stev* —3B **28**
Second Av. *Let* —5A **12**
Seebohm Clo. *Hit* —4A **14**
Sefton Rd. *Stev* —6B **24**
Senate Pl. *Stev* —4B **24**
Serpentine Clo. *Stev* —5C **24**
Severn Way. *Stev* —4H **23**
Seymour Ct. *Hit* —5D **14**
Shackledell. *Stev* —1D **30**
Shackleton Spring. *Stev* —6A **28**
Shaftesbury Ct. *Stev* —5G **27**
Shaftesbury Ind. Cen. *Let*
    —4G **11**
Shannon Clo. *L Ston* —1A **8**
Sharps Way. *Hit* —4E **15**
Sheafgreen La. *Stev* —4D **28**
Shearwater Clo. *Stev* —5D **28**
Sheepcroft Hill. *Stev* —6D **28**
Shelley Clo. *Hit* —6G **15**
Shephalbury Pk. —2E **31**
Shephall. —6A 28
Shephall Grn. *Stev* —1E **31**
Shephall Grn La. *Stev* —1F **31**
Shephall La. *Stev* —2D **30**
    (in two parts)
Shephall Vw. *Stev* —4A **28**
Shephall Way. *Stev* —5B **28**
Shepherds La. *Stev* —3B **26**
Shepherds Mead. *Hit* —3C **14**
Sheringham Av. *Stev* —6D **27**
Sherwood. *Let* —3F **11**
Shillington Rd. *Shil & L Ston*
    —1A **8**
Shirley Clo. *Stev* —1B **28**
Shoreham Clo. *Stev* —1C **26**
Short La. *Stev* —5E **29**
Shott La. *Let* —5G **11**
Siccut Rd. *L Wym* —3A **22**
Siddons Rd. *Stev* —3C **28**
Silam Rd. *Stev* —4G **27**
Silkin Clo. *Stev* —6D **28**
Silkin Way. *Stev* —4F **27**
Silverbirch Av. *Stot* —1F **5**
Silver Ct. *Hit* —5C **14**
Simpson Dri. *Bald* —3D **12**

Simpsons Ct. *Bald* —3D **12**
Sinfield Clo. *Stev* —4A **28**
Sish Clo. *Stev* —3F **27**
(in two parts)
Sish La. *Stev* —3F **27**
Sisson Clo. *Stev* —1G **31**
Six Hills Way. *Stev* —6E **27**
Sixth Av. *Let* —5A **12**
Skegness Rd. *Stev* —1C **26**
Skipton Clo. *Stev* —3D **30**
Skylark Corner. *Stev* —6D **28**
Sleaps Hyde. *Stev* —2G **31**
Slip La. *Old K* —6A **30**
Sloan Ct. *Stev* —3H **27**
Snailswell. —6G 9
Snailswell La. *Ickl* —6G **9**
Snipe, The. *W'ton* —4B **18**
Sollershott E. *Let* —1B **16**
Sollershott Hall. *Let* —1B **16**
Sollershott W. *Let* —1A **16**
Sorrel Gth. *Hit* —1E **21**
Souberie Av. *Let* —6F **11**
South Clo. *Bald* —4D **12**
Southend Clo. *Stev* —2F **27**
Southern Av. *Henl* —6D **2**
Southern Way. *Let* —2E **11**
Southfields. *Let* —2F **11**
Southgate. *Stev* —5F **27**
South Hill Clo. *Hit* —1E **21**
South Pl. *Hit* —5B **14**
South Rd. *Bald* —4D **12**
Southsea Rd. *Stev* —1D **26**
South Vw. *Let* —6F **11**
Southware Clo. *Stev* —6B **24**
Southwold Clo. *Stev* —3C **26**
Sparhawke. *Let* —2G **11**
Sparrow Dri. *Stev* —5D **28**
Speke Clo. *Stev* —4D **28**
Spellbrooke. *Hit* —5B **14**
Sperberry Hill. *St I* —5F **21**
Spinney Clo. *Hit* —1F **21**
Spinney, The. *Bald* —4C **12**
Spinney, The. *Stev* —2D **28**
Sports Cen. —5F 15
(Hitchin)
Spreckley Clo. *Henl* —4D **2**
Spring Dri. *Stev* —3E **31**
Spring Rd. *Let* —5E **11**
Springshott. *Let* —6E **11**
Spurrs Clo. *Hit* —6F **15**
Spur, The. *Stev* —5G **27**
Standalone Farm Cen. —3D **10**
Standhill Clo. *Hit* —1D **20**
Standhill Rd. *Hit* —1D **20**
Stane Fld. *Let* —2D **16**
Stane St. *Bald* —2E **13**
Stanley Rd. *Stev* —1B **28**
Stanmore Rd. *Stev* —2F **27**
Station App. *Hit* —5E **15**
Station App. *Kneb* —6D **30**
Station Pde. Let —5F **11**
(off Station Rd.)
Station Pl. *Let* —5F **11**
Station Rd. *Arl* —5A **4**
Station Rd. *Let* —5F **11**
Station Rd. *Kneb* —6D **30**
Station Rd. *L Ston* —1A **8**
Station Rd. *Odsey* —2D **12**
Station Ter. *Hit* —5E **15**
Station Way. *Let* —5E **11**
Sterling Ct. *Stev* —5F **27**
Stevenage. —4F 27
Stevenage Borough F.C.
—1C **30**
Stevenage Bus. & Ind. Pk.
Stev —5C **24**
Stevenage Enterprise Cen.
Stev —2D **26**

Stevenage Golf Course. —2H **31**
Stevenage Leisure Cen. —4F **27**
Stevenage Leisure Pk. *Stev*
—5E **27**
Stevenage Mus. —4G **27**
Stevenage Rd. *Hit* —2D **20**
Stevenage Rd. *L Wym & Stev*
—3G **21**
Stevenage Rd. *St I* —4F **21**
Stevenage Rd. *Stev & Kneb*
—3D **30**
Stevenage Rd. *Walk* —1E **29**
Stevenage Swimming Cen.
—4F **27**
Stirling Clo. *Hit* —6G **15**
Stirling Clo. *Stev* —4H **31**
Stobarts Clo. *Kneb* —5D **30**
Stockens Dell. *Kneb* —6G **31**
Stockens Grn. *Kneb* —6G **31**
Stonecroft. *Kneb* —6D **30**
Stoneley. *Let* —2F **11**
Stonnells Clo. *Let* —3F **11**
Stony Cft. *Stev* —3G **27**
Storehouse La. *Hit* —1D **20**
Stormont Rd. *Hit* —4D **14**
Stotfold. —3F 5
Stotfold Green. —1F 5
Stotfold Rd. *Arl* —1A **4**
Stotfold Rd. *Bald* —1H **5**
Stotfold Rd. *Let* —4C **10**
Strafford Ct. *Kneb* —6E **31**
Strathmore Av. *Hit* —4C **14**
Strathmore Ct. *Hit* —4D **14**
Straw Plait W. *Arl* —5H **3**
Stuart Dri. *Hit* —6F **15**
Sturgeon Rd. *Hit* —3F **15**
Sturgeon's Way. *Hit* —3F **15**
Sturrock Way. *Hit* —1G **21**
Such Clo. *Let* —4H **11**
Summerfield Ct. *Stot* —3E **5**
Sunnyside. —2E 21
Sunnyside Rd. *Hit* —2E **21**
Sun St. *Bald* —3C **12**
Sun St. *Hit* —1C **20**
Sutcliffe Clo. *Stev* —1A **28**
Swale Clo. *Stev* —4A **24**
Swangley's La. *Kneb* —6E **31**
Swanstand. *Let* —1F **17**
Sweyns Mead. *Stev* —2C **28**
Swift Clo. *Let* —3E **11**
Swinburne Av. *Hit* —4A **14**
Swingate. *Stev* —4F **27**
Sycamore Clo. *St I* —3E **21**
Sycamores, The. *Bald* —3C **12**
Symonds Green. —2C 26
Symonds Grn. La. *Stev* —3C **26**
Symonds Grn. Rd. *Stev* —2C **26**
(in two parts)
Symonds Rd. *Hit* —5B **14**

Tabbs Clo. *Let* —4H **11**
Tabor Ct. *Let* —4D **10**
Tacitus Clo. *Stev* —1C **28**
Talbot St. *Hit* —5B **14**
Talbot Way. *Let* —2H **11**
Talisman St. *Hit* —6G **15**
Tall Trees. *St I* —3E **21**
Tamar Clo. *Stev* —4A **24**
Tarrant. *Stev* —6D **22**
Tates Way. *Stev* —5D **22**
Tatlers La. *Ast E* —4D **28**
Tatmorehills La. *Hit* —6A **20**
Taylor's Hill. *Hit* —1D **20**
Taylor's Rd. *Stot* —1F **5**
Taywood Clo. *Stev* —1F **31**
Tedder Av. *Henl* —4D **2**
Tees Clo. *Stev* —4H **23**

Telford Av. *Stev* —3B **28**
Templar Av. *Bald* —5D **12**
Temple Clo. *Hit* —3A **20**
Temple Ct. *Bald* —5D **12**
Temple End. —3A 20
Temple Gdns. *Let* —3A **12**
Tene, The. *Bald* —3D **12**
Tennyson Av. *Hit* —1G **21**
Thatchers End. *Hit* —5H **15**
Theobold Bus. Cen. *Hit*
—2E **15**
Third Av. *Let* —4A **12**
Thirlmere. *Stev* —5C **24**
Thistley La. *Gos* —5D **20**
Thornbury Clo. *Stev* —3E **31**
Three Star Cvn. Pk. *L Ston*
—6C **2**
Thristers Clo. *Let* —2D **16**
Thurlow Clo. *Stev* —5F **23**
Thurnall Clo. *Bald* —3D **12**
Tilehouse St. *Hit* —1C **20**
Tillers Link. *Stev* —1E **15**
Times Clo. *Hit* —3B **14**
Tintern Clo. *Stev* —4E **31**
Tippet Ct. *Stev* —6F **27**
Titmore Ct. *Hit* —5A **22**
Titmore Green. —5A 22
Titmus Clo. *Stev* —3G **27**
Todd's Green. —5C 22
Torquay Cres. *Stev* —2D **26**
Totts La. *Walk* —6H **25**
Tourist Information Cen.
(Stevenage) —5F **27**
Tower Clo. *L Wym* —4B **22**
Towers Rd. *Stev* —5F **27**
Towers, The. *Stev* —5F **27**
Town Gardens. —4G **27**
Townley. *Let* —1F **17**
Town Sq. *Stev* —4F **27**
Trafford Clo. *Stev* —6G **23**
Traherne Clo. *Hit* —2D **20**
Trajan Ga. *Stev* —6D **24**
Trent Clo. *Stev* —1G **27**
Trevor Rd. *Hit* —5E **15**
Triangle, The. *Hit* —1D **20**
Trigg Ter. *Stev* —3G **27**
Trinity Pl. *Stev* —3F **27**
Trinity Rd. *Stev* —3E **27**
Trinity Rd. *Stot* —2F **5**
Tristram Rd. *Hit* —3E **15**
Truemans Rd. *Hit* —3B **14**
Trumper Rd. *Stev* —6G **23**
Truro Ct. *Stev* —5H **23**
Trust Ind. Est. *Hit* —2E **15**
Tudor Clo. *Stev* —6E **23**
Tudor Ct. *Hit* —1B **20**
Tudor Rd. *Stev* —6E **23**
Turf La. *G'ley* —3D **28**
Turner Clo. *Stev* —5E **23**
Turnpike La. *Ickl* —2B **14**
Turpin's Ri. *Stev* —2D **30**
Turpin's Way. *Bald* —4D **12**
Twinwoods. *Stev* —5H **27**
Twitchell, The. *Bald* —3D **12**
(in two parts)
Twitchell, The. *Stev* —2F **27**
Tye End. *Stev* —3F **31**

Ullswater Clo. *Stev* —5C **24**
Underwood Rd. *Stev* —5E **23**
Unwin Clo. *Let* —1A **16**
Unwin Pl. *Stev* —6C **28**
Unwin Rd. *Stev* —6C **28**
Uplands. *Stev* —1D **28**
Uplands Av. *Hit* —1F **21**
Up. Maylins. *Let* —2E **17**
Upper Sean. *Stev* —6A **28**
Upper Stondon. —1A 8

Upperstone Clo. *Stot* —3F **5**
Up. Tilehouse St. *Hit* —6C **14**

Valerian Way. *Stev* —6D **24**
Vallansgate. *Stev* —2F **31**
Valley Rd. *Let* —4D **10**
Valley Way. *Stev* —1D **30**
Vardon Rd. *Stev* —1G **27**
Vaughan Rd. *Stot* —3E **5**
Verity Way. *Stev* —6A **24**
Verulam Rd. *Hit* —5D **14**
Vicarage Clo. *Arl* —1A **4**
Victoria Clo. *Stev* —2F **27**
Victoria Dri. *Stot* —4G **5**
Victoria Way. *Hit* —5B **14**
View Point. *Stev* —4C **26**
Vincent. *Let* —1E **17**
Vincent Ct. *Stev* —1D **26**
Vines, The. *Stot* —3E **5**
Vinters Av. *Stev* —4H **27**

Wadnall Way. *Kneb* —6G **31**
Walden End. *Stev* —5G **27**
Walkern. —6H 25
Walkern Rd. *B'tn* —6G **29**
Walkern Rd. *Stev* —2E **27**
(in two parts)
Walkers Ct. Bald —3D **12**
(off High St.)
Wallace Way. *Hit* —3E **15**
Wallington Rd. *Bald* —3E **13**
Walnut Av. *Bald* —4E **13**
Walnut Clo. *Hit* —1E **21**
Walnut Clo. *Stot* —3F **5**
Walnut Tree Clo. *Stev* —5D **28**
Walnut Way. *Ickl* —1C **14**
Walpole Ct. *Stev* —4G **31**
Walsham Clo. *Stev* —4G **31**
Walsh Clo. *Hit* —6B **14**
Walsworth. —4F 15
Walsworth Rd. *Hit* —6D **14**
Waltham Rd. *Hit* —1D **20**
Wansbeck Clo. *Stev* —4A **24**
Warners Clo. *Stev* —6B **28**
Warren Clo. *Let* —4D **10**
Warren La. *Clot* —4F **13**
Warren Rd. *Clot* —6H **13**
Warren's Green. —1D 24
Warrensgreen La. *W'ton* —2C **24**
Warwick Rd. *Stev* —3C **28**
Watercress Clo. *Stev* —4D **28**
Waterdell La. *Let* —4D **20**
Water La. *Hit* —4D **14**
Waterloo La. *Hol* —5C **8**
Waterlow M. *L Wym* —4A **22**
Waters End. *Stot* —3E **5**
Watton Rd. *Kneb & Stev* —6E **31**
Waverley Clo. *Stev* —3E **31**
Waysbrook. *Let* —1D **16**
Waysmeet. *Let* —1D **16**
Weavers Way. *Bald* —3E **13**
Webb Clo. *Let* —6A **12**
Webb Ri. *Stev* —2H **27**
Wedgewood Rd. *Hit* —6F **15**
Wedgwood Ct. *Stev* —5C **24**
Wedgwood Ga. Ind. Est. *Stev*
—5B **24**
Wedgwood Pk. *Stev* —5C **24**
Wedgwood Way. *Stev* —6B **24**
Wedmore Rd. *Hit* —1E **21**
Wedon Way. *Byg* —5G **7**
Weedon Clo. *Henl* —4E **3**
Wellfield Ct. *Stev* —6B **24**
Wellingham Av. *Hit* —4B **14**
Wellington Rd. *Stev* —4C **28**
Wenham Ct. *Walk* —1H **29**

Wensum Rd.—York Rd.

Wensum Rd. *Stev* —4H **23**
Wesley Clo. *Arl* —5A **4**
West All. *Hit* —6C **14**
West Av. *Bald* —3C **12**
Westbrook Ct. *Hit* —2D **20**
Westbury Clo. *Hit* —5B **14**
Westbury Pl. *Let* —6E **11**
West Clo. *Hit* —4F **15**
West Clo. *Stev* —4H **27**
West Dri. *Arl* —5A **4**
Westell Clo. *Bald* —3E **13**
Western Av. *Henl* —6D **2**
Western Clo. *Let* —2E **11**
Western Way. *Let* —3E **11**
Westfield Clo. *Hit* —6B **14**
Westfield La. *Hit* —6B **14**
Westgate Shop. Cen. *Stev*
—4F **27**
West Hill. *Hit* —6B **14**
Westholm. *Let* —3F **11**
Westland Rd. *Kneb* —6D **30**
West La. *Pir* —6A **8**
Westmill. —3A 14
Westmill La. *Hit* —3A **14**
W. Mill Lawns. *Hit* —4B **14**
Westmill Rd. *Hit* —3A **14**
Weston. —4B 18
Weston Rd. *Stev* —1G **27**
(in three parts)
Weston Way. *Bald* —3C **12**
West Reach. *Stev* —1D **30**
West Vw. *Let* —1H **15**
Westwood Av. *Hit* —1E **21**
Wetherby Clo. *Stev* —1C **28**
Wheat Hill. *Let* —4E **11**
Wheatlands. *Stev* —2C **28**
Whinbush Gro. *Hit* —5D **14**
Whinbush Rd. *Hit* —6D **14**

Whitechurch Gdns. *Let* —2E **17**
White Crofts. *Stot* —2E **5**
Whitegale Clo. *Hit* —1E **21**
Whitehicks. *Let* —2G **11**
White Hill. *Cro* —4H **25**
Whitehill Clo. *Hit* —2E **21**
Whitehill Rd. *Hit* —1E **21**
Whitehorse St. *Bald* —3D **12**
Whitehurst Av. *Hit* —4D **14**
Whitesmead Rd. *Stev* —2F **27**
Whitethorn La. *Let* —2C **16**
Whiteway. *Let* —1E **17**
Whiteway, The. *Stev* —2C **28**
Whitney Dri. *Stev* —6E **23**
Whitney Wood. *Stev* —6E **23**
Whittington La. *Stev* —5G **27**
Whittle Clo. *Henl* —5D **2**
Whitworth Jones Av. *Henl* —4E **3**
Whitworth Rd. *Stev* —4B **24**
Whomerley Rd. *Stev* —5G **27**
Wigram Way. *Stev* —5B **28**
Wilbury Clo. *Let* —4C **10**
Wilbury Hills Rd. *Let* —5C **10**
Wilbury Rd. *Let* —4D **10**
Wilbury Way. *Hit* —2E **15**
Wildwood La. *Stev* —5H **27**
William Pl. *Stev* —6A **28**
Willian. —3C 16
Willian Chu. Rd. *W'ian* —3C **16**
Willian Rd. *Gt Wym* —1A **22**
Willian Rd. *Hit & W'ian* —4G **15**
Willian Way. *Bald* —5C **12**
Willian Way. *Let* —1C **16**
Willoughby Way. *Hit* —1E **21**
Willow La. *Hit* —1B **20**
Willow La. *St I* —5F **21**
Willows Link. *Stev* —3E **31**
Willows, The. *Hit* —2E **21**

Willows, The. *Stev* —2E **31**
Willow Tree Clo. *Hit* —3C **14**
Willow Trees Cvn. Site. *L Ston*
—5C **2**
Wilshere Cres. *Hit* —5G **15**
Wilson Clo. *Stev* —6F **23**
Wilton Rd. *Hit* —4C **14**
Wiltron Ho. *Stev* —3D **26**
Wiltshire Rd. *Stev* —5A **28**
Winchester Clo. *Stev* —5A **24**
Windermere Clo. *Stev* —5D **24**
Windmill Hill. *Hit* —6D **14**
Windmill La. *Hit* —2A **20**
Windrush Clo. *Stev* —4A **24**
Windsor Clo. *Stev* —4F **31**
Winston Clo. *Hit* —6B **14**
Winters La. *Walk* —6H **25**
Winton Clo. *Let* —3B **12**
Wisden Ct. *Stev* —6H **23**
Wisden Rd. *Stev* —6H **23**
Witter Av. *Ickl* —1C **14**
Woburn Clo. *Stev* —4G **31**
Woodcock Rd. *Stev* —1H **31**
Woodcote Ho. *Hit* —6D **14**
(off Queen St.)
Woodcroft. Hit —1C **20**
(off Wratten Rd. E.)
Wood Dri. *Stev* —1F **31**
Woodfield Rd. *Stev* —6E **23**
Woodhurst. *Let* —3F **11**
Woodlands Mead. *W'ton* —5B **18**
Woodland Way. *Bald* —5D **12**
Woodland Way. *Stev* —2D **30**
Woodside Gdns. *Hit* —6D **14**
Woodside Ind. Pk. *Let* —4H **11**
Woodside Open Air Theatre.
—6D **14**
Woodstock. *Kneb* —6G **31**

Woolgrove Ct. *Hit* —4F **15**
Woolgrove Rd. *Hit* —4E **15**
Woolners Way. *Stev* —3E **27**
Woolston Av. *Let* —1C **16**
Works Rd. *Let* —4H **11**
Worsdell Way. *Hit* —6F **15**
Wortham Way. *Stev* —1F **31**
Wratten Clo. *Hit* —1C **20**
Wratten Rd. E. *Hit* —1C **20**
Wratten Rd. W. *Hit* —1B **20**
Wrayfields. *Stot* —2H **5**
Wren Clo. *Stev* —3B **28**
Wrights Mdw. *Walk* —1H **29**
Wyatt Clo. *Ickl* —1B **14**
Wychdell. *Stev* —3G **31**
Wycklond Clo. *Stot* —3E **5**
Wymondley Clo. *Hit* —6E **15**
Wymondley Rd. *Gt Wym &*
W'ian —5B **16**
Wymondley Rd. *Hit* —1E **21**
Wynd Arc., The. *Let* —5F **11**
(off Openshaw Way)
Wynd, The. *Let* —5F **11**
Wynn Clo. *Bald* —2E **13**
Wyrley Dell. *Let* —2C **16**
Wysells Ct. *Let* —4D **10**

Yardley. *Let* —1D **16**
Yarmouth Rd. *Stev* —2C **26**
Yeomanry Dri. *Bald* —2E **13**
Yeomans Dri. *Ast* —1H **31**
York Rd. *Hit* —5C **14**
York Rd. *Stev* —6H **23**